I1039392

BEASTS
OF
OLYMPUS

LUCY COATS

BEASTS
OF
OLYMPUS

TOME 4
LE DRAGON QUI PUE

Traduit de l'anglais
(Royaume-Uni) par Amélie Sarn
Illustrations de Brett Bean

Le Livre de Poche Jeunesse

L'édition originale de cet ouvrage a paru au Royaume-Uni

en 2015 chez Piccadilly Press,

an imprint of the Bonnier Publishing Group, sous le titre :

BEASTS OF OLYMPUS – BOOK 4 – DRAGON HEALER

Traduit de l'anglais (Royaume-Uni) par Amélie Sarn.

© Librairie Générale Française, 2017, pour la traduction et la première édition.

À Rob, Brett, Giuseppe et Hannah,
avec mes remerciements magiques
à l'Équipe de l'Olympe !

CHAPITRE 1

RÉVOLTE AUX ÉTABLES

Démon, fils de Pan et récemment décoré de l'ordre de l'Océan, jaillit de la source claire de Mélaine, la naïade.

— Arkh, aaagh, pfoua, cracha-t-il en secouant la tête pour faire sortir l'eau de ses oreilles.

Ses poumons se remplirent de l'air tiède et ensoleillé de l'Olympe. C'était bon. Une merveilleuse odeur de fleurs et de miel flottait dans les jardins. Pas le moindre relent de fumier ou de bouse de vaches, ce qui signifiait qu'il n'allait pas être transformé en un petit tas de cendres par des déesses en colère. Pas ce jour-là, en tout cas.

Pendant que Démon récupérait sa boîte magique trempée et couverte d'algues, Mélaine, occupée à coiffer ses longs cheveux bleus, lui jeta un regard noir.

— Ça y est, lança-t-elle, tu as terminé de salir ma belle source avec ces horribles trucs que tu ramènes de la mer ?

Démon ôta quelques poissons frétillants de sa tunique et les rejeta dans l'eau.

— Oui, répondit-il.

Il se demandait pourquoi Mélaine semblait aussi en colère. Normalement, elle était toujours très gentille avec lui.

— Il y a un problème ? s'inquiéta-t-il. Tu as l'air de mauvaise humeur.

La naïade leva les yeux au ciel et agita la main vers les étables.

— Bien sûr qu'il y a un problème. Il va falloir que tu

dises à tes bestioles de faire moins de bruit. C'est insupportable. Elles n'ont pas cessé de brailler et de meugler depuis qu'Hermès a amené ce voyou d'Autolykos. Pas étonnant que je sois de mauvaise humeur. Voilà cinq jours que je n'ai pas fermé l'œil.

Elle bâilla bruyamment découvrant ses jolies petites dents qui ressemblaient à des perles. Effectivement, maintenant que les oreilles de Démon n'étaient plus remplies d'eau, il entendait le terrible vacarme qui venait de ses étables. Sans un mot, il prit sa boîte et se mit à courir. Que se passait-il là-bas ? On aurait dit que les bêtes étaient complètement hors de contrôle.

Quand il entra dans les étables, il découvrit… le chaos. Dans chaque box, chaque enclos, les animaux hurlaient, braillaient, s'égosillaient, mugissaient, grondaient, s'époumonaient. Un grand garçon aux cheveux noirs courait dans l'allée centrale, armé d'un balai qu'il cognait violemment contre les portes.

— Taisez-vous ! criait-il. La ferme ! Sales bêtes ! Horribles créatures !

Démon posa la boîte sur le sol, sortit la flûte magique de son père et joua un petit air. Le silence se fit immédiatement.

— T'es qui, toi ? lui demanda le garçon en se retournant. Et comment t'as fait ça ?

— Je m'appelle Démon, répondit Démon, fils de Pan et gardien officiel des étables de l'Olympe. Je suppose que tu es Autolykos. Par le mouchoir sale d'Hadès, qu'est-ce que tu as fait à ces pauvres bêtes pour les mettre dans cet état ?

— Rien, gronda Autolykos, le visage fermé. Je les ai nourries et j'ai changé leurs litières. Je ne vois pas ce qu'elles peuvent vouloir de plus.

— Ah ! s'exclama le griffon en faisant claquer son bec contre les barreaux de sa porte. Il n'a rien fait ! Brigand, menteur, scélérat ! Il a volé la moitié des plumes des chevaux ailés, et maintenant, ils sont cloués au sol. Il a maltraité Doris et il a jeté la moitié du gâteau d'ambroisie dans la fosse du Tartare.

— Oui, c'est vrai ! confirmèrent en chœur toutes les autres bêtes.

— Sale voleur !

— Voyou !

— Pillard !

— Vaurien !

Autolykos secoua la tête.

— Tu vois, ils ne cessent de brailler et on ne sait pas pourquoi. Comment tu fais pour les supporter ?

Démon avança vers lui avec un air menaçant.

— Alors comme ça, tu as volé les plumes des chevaux ailés ? Tu as jeté le gâteau d'ambroisie dans la fosse du Tartare ? Tu as maltraité Doris ?

Le garçon sentait une colère froide l'envahir. Personne n'avait le droit de faire du mal à ses animaux ! PERSONNE !

— Qu... Quoi ? Co... Comment le sais-tu ? Je n'ai... je...

— Oh si ! cria Démon pour se faire entendre par-dessus le vacarme. Je comprends ce que disent les animaux, vois-tu, alors n'essaie même pas de nier.

— Bon, d'accord, grogna Autolykos. Et alors ? J'ai tapé cette stupide hydre parce qu'elle bavait sur le gâteau d'ambroisie. Et je n'ai pris que quelques plumes, et…

— Et maintenant, mes chevaux ailés ne peuvent plus voler ! rugit Démon.

Autolykos était plus grand que lui, mais Démon se sentait la force de dix garçons d'étable. Il le saisit par le col de sa tunique et le traîna dehors jusqu'à l'Iris Express.

— Arrête ! Lâche-moi ! Lâche-moi ! criait Autolykos.

Mais Démon était déterminé à se débarrasser de lui.

— Un passager direction la terre ! appela-t-il en récupérant une poignée de plumes dans la poche d'Autolykos. Et pas la peine de lui mettre la ceinture de sécurité !

— Hey ! hurla le voyou. Rends-moi ces plumes ! J'aurais pu les vendre une fortune ! Elles sont à moi !

— Oh non ! rétorqua Démon en le poussant vers l'arc-en-ciel. Et si j'étais-toi, je m'accrocherais !

Au même instant, l'Iris Express démarra dans un brusque soubresaut et fila vers le bas. Il y eut un cri étranglé et un bruit de gorge dégoûtant (sans doute Autolykos qui vomissait), puis plus rien. L'iris Express pouvait faire cet effet.

— Bien fait pour lui, marmonna Démon en ramassant les plumes tombées dans l'herbe.

Il revint vers les étables en grommelant et en se promettant de ne plus jamais abandonner ses animaux.

— Pourquoi est-ce que les dieux ne me laissent pas un peu tranquille ? gronda-t-il en retrouvant cet endroit qu'il considérait à présent comme son foyer. Chaque fois qu'ils me demandent de faire un truc pour eux, il y a un problème ici. D'abord Hadès avec ce pauvre Cerbère enrhumé, et puis Poséidon et ses hippocampes ! Je réclame juste cinq minutes de paix !

Il alla voir chaque bête qu'il caressa et rassura. Elles lui racontèrent leur horrible expérience avec Autolykos. Sa colère repartit de plus belle quand il découvrit les bleus de la pauvre Doris. Pourquoi certaines personnes étaient-elles aussi méchantes avec les animaux ? Il n'arrivait pas à le comprendre.

— Eh, fils maigrichon de Pan. Viens là et ouvre-moi la porte !

C'était le griffon.

— Il faut que je te parle en privé.

Démon obéit et sortit avec son ami aux pattes de lion.

— Alors, raconte ? lui demanda-t-il quand ils furent à l'extérieur.

— Aaaaah !

Le griffon étendit ses ailes dans le soleil et les agita pour les débarrasser de la poussière.

— C'est mieux, sourit-il. J'en avais assez d'être enfermé.

Il jeta un regard en coin à Démon.

— Qu'est-ce que je voulais te dire déjà ? Ah oui ! Je crois que tu me dois quelque chose, fils maigrichon de Pan. Un petit quelque chose qui commence par v et finit par e, avec un petit i, un petit a, un petit n et un petit d entre les deux.

Démon se dressa sur la pointe des pieds et se retrouva nez à bec avec la créature.

— Oh, non, je ne te dois rien ! Toi et le lion de Némée deviez vous occuper comme il faut des étables pendant que j'étais parti, je te rappelle.

Il désigna le gâteau d'ambroisie dans la brouette destinée au fumier, les bottes de paille du soleil éventrées et les parois de certains enclos qui menaçaient de s'écrouler.

— Je n'appelle pas ça « comme il faut » ! ajouta-t-il avec colère.

— Ce n'est pas ma faute. Le lion et moi, on se débrouillait comme des chefs jusqu'à ce qu'Hermès amène ce gredin, gronda le griffon. J'avais même enfermé le gâteau d'ambroisie dans un placard pour que Doris ne le mange pas, et on avait réussi à tout tenir propre. Quand ce fichu Autolykos a débarqué, tout est parti en quenouille. Il ne comprenait rien à ce qu'on lui demandait et en plus, il s'en fichait. Il n'a pas tapé que Doris avec le balai, tu sais ! En plus, Hermès lui avait jeté un sort de protection, et on ne pouvait même pas se défendre.

Démon soupira et sentit sa colère s'évanouir.

— Je suis désolé qu'il vous ait traités aussi mal, fit-il en caressant la fourrure du griffon. Je suis sûr que le lion et toi avez fait de votre mieux.

J'irai discuter avec Hermès et je le prierai de nous apporter quelques steaks en douce. Maintenant, on ferait bien de tout remettre en état. Mais avant tout, je vais demander à ma boîte magique si elle peut faire quelque chose pour remettre leurs plumes aux chevaux ailés. Ils m'ont dit qu'ils avaient hâte de voler à nouveau.

Le griffon assena un gros coup de patte amical dans le dos de Démon, qui tomba en avant.

— Je suis content de te retrouver, fils de Pan. Et j'espère que tu vas tenir ta promesse pour les steaks, parce que si je ne mange pas un truc correct dans pas longtemps, même ta pauvre carcasse maigrichonne commencera à me paraître appétissante.

Il se lécha le bec de sa longue langue rose.

— Miam, miam, lui souffla-t-il à l'oreille alors que le garçon se redressait.

— Oh, ça va, le rembarra Démon en époussetant sa tunique. Tu sais très bien que si tu me mangeais, ça te rendrait malade. Et en plus, il n'y aurait plus personne pour te soigner. Où est ma boîte ?

Elle était exactement où il l'avait laissée, au beau milieu du chemin qui menait aux étables.

Il la ramassa et alla directement voir les chevaux ailés.

Le spectacle était affligeant, leurs magnifiques ailes étaient à moitié déplumées, leur robe était terne, leur queue en berne, et même la petite corne dorée sur leur front avait l'air triste.

— Une petite gratouille, demanda Keith, l'étalon, avec espoir, en tendant son oreille gauche.

— Bien sûr, sourit Démon, mais avant tout, je vais essayer de réparer vos ailes.

CHAPITRE 2

KIT DE PYRUPROTECTION

OBLIGATOIRE

Démon était en train de se laver les mains pour se débarrasser de la potion un peu collante que lui avait donnée la boîte afin de remplumer les chevaux quand la tête sculptée sur le mur du fond sonna l'alarme.

— Alerte ! Alerte ! Alerte au feu ! Usage obligatoire et immédiat du kit de pyroprotection.

Démon n'avait aucune idée de ce qui se passait. Un kit de pyroprotection ? Qu'est-ce que c'était que ce truc ?

Il regarda autour de lui.

— Je trouve ça où, un kit de pyroprotection ? demanda-t-il d'une voix paniquée au griffon.

Au même moment, un rugissement effrayant résonna du côté de l'Iris Express.

— À l'infirmerie, lui répondit le griffon. Troisième tiroir à gauche. Dépêche-toi, fils de Pan, tu n'as pas beaucoup de temps avant que tout l'Olympe soit réduit en cendres par ces bestioles ! Je vais chercher le pompier officiel.

Sur ces mots, la créature mythique décolla.

Ces bestioles ! Mais de quelles bestioles s'agissait-il ? Il n'avait pas le temps de se poser la question. Il fila à toutes jambes vers l'infirmerie, ouvrit le troisième tiroir à gauche et en sortit ce qui ressemblait à une peau humaine argentée. Elle avait une ouverture sur le devant. Il la tourna et la retourna en se demandant s'il était censé l'enfiler. Et si oui, comment ? Il y avait un petit objet métallique en haut de l'ouverture.

— Tire sur la fermeture Éclair ! grésilla une voix.

Démon sursauta.

— Allez, le pressa la voix. Dépêche-toi !

Les doigts tremblants, Démon tira sur le petit objet métallique, et la peau s'ouvrit en deux.

— Saute dedans, fit la voix, et bienvenue dans le kit de pyroprotection d'Héphaïstos. Quel est le niveau d'alerte ?

— Je ne sais pas ! répondit Démon en enfilant la combinaison, mais je dois aller à l'Iris Express le plus vite possible !

Une capuche se rabattit sur sa tête ; une visière transparente lui protégeait le visage. La fermeture se remonta toute seule, l'enfermant entièrement dans la combinaison.

— Pyroprotection en place, déclara la voix. Tu peux maintenant te rendre en toute sécurité sur la zone de danger. Tu peux aussi respirer normalement.

Démon était en train de courir vers le bruit. Quand il approcha, il découvrit un énorme nuage de fumée qui s'élevait de l'Iris Express.

Mais il y avait pire.

Plusieurs arbres étaient en feu – la chaleur faisait exploser les fruits dorés accrochés aux branches – et la pelouse était roussie. Et ce n'était pas tout. Deux énormes taureaux au mufle orné d'une boucle dorée rugissaient et crachaient des flammes par les naseaux. De leurs sabots cuivrés, ils piétinaient l'herbe, et leurs corps étaient couverts de profondes blessures qui saignaient. Protégé par la pyroprotection, Démon s'élança vers eux et les attrapa par leurs anneaux. Une langue de feu vint lécher sa combinaison ; heureusement, il en sentit à peine la chaleur.

— Oh ! cria-t-il, calmez-vous. Je peux vous soigner, mais il faut que vous arrêtiez de mettre le feu !

Les deux taureaux ne lui prêtaient aucune attention. Ils levèrent tous deux la tête en même temps, envoyant Démon voler dans les airs. Le garçon manqua de justesse de s'empaler sur une de leurs cornes acérées. Il atterrit sur le dos et roula sur le côté pour ne pas se faire piétiner.

— Ouch !

Il essaya de prendre sa flûte dans les plis de sa tunique, mais la combinaison l'en empêchait.

— Je veux enlever ce truc ! cria-t-il en tirant comme un forcené sur le tissu argenté. Je veux ma flûte !

Aussitôt, le côté droit de sa combinaison se gonfla.

— Poche opérationnelle, annonça la voix.

Démon y trouva sa flûte et la porta à sa bouche. Le masque transparent s'ouvrit juste assez pour qu'il puisse souffler dedans.

Mais pour la première fois, l'instrument magique de son père ne lui fut d'aucune utilité. Les taureaux continuaient les dégâts. Le feu s'étendait vers les jardins et des nymphes sautaient des arbres et des buissons en hurlant de frayeur et couraient vers les palais de marbre blanc des dieux. Démon essaya un nouvel air, puis un autre et un autre encore, en vain. Alors qu'il se retrouvait projeté au milieu des flammes pour la vingt-quatrième fois, une voix de stentor retentit derrière lui.

— Kalkho ! Kafto ! Cessez immédiatement !

C'était Héphaïstos, le dieu de la forge et du feu, accompagné d'une petite troupe d'automates. Il avança vers l'incendie qui faisait rage et tendit ses énormes bras musclés pour attraper les taureaux par les cornes. Il leur cogna la tête l'un contre l'autre et balaya leurs pattes sous eux. Les taureaux s'effondrèrent.

— Merci Hephy, grogna Démon derrière son masque en se redressant.

— On n'a pas le temps de se congratuler, grommela Héphaïstos. Va chercher une double dose de jus de safran de crocus, le rouge, et ramène-le aussi vite que tu le pourras. Pendant ce temps-là, je m'occupe d'éteindre le feu.

Démon ne discuta pas. Il fila à l'infirmerie, prit la potion qu'Héphaïstos lui avait demandée et revint à toute vitesse.

Les automates du dieu de la forge avaient creusé une tranchée pour empêcher le feu de s'étendre pendant qu'il frappait les flammes avec un balai spécial dans chaque main. Kalkho et Kafto gisaient toujours au sol, inconscients. Démon s'agenouilla près d'eux. Il avait oublié ses propres bleus. Il détestait voir un animal, n'importe lequel, souffrir.

— Qui vous a fait ça ? leur demanda-t-il. Encore ce fichu Héraclès ?

Mais les taureaux ne répondirent pas.

— Applique la potion sur leurs blessures, ça leur fera du bien, fit Héphaïstos. Je l'ai créée exprès pour eux.

Tout en se demandant ce qu'avait voulu dire exactement Héphaïstos, Démon déposa une goutte de l'élixir sur les plaies des taureaux. Le dieu l'aida à retourner les énormes corps pour qu'il puisse traiter les deux côtés. Cela lui prit longtemps. Quand il eut fini, les plaies avaient cessé de fumer et commençaient déjà à cicatriser. Alors que les taureaux se mettaient à s'ébrouer et à ouvrir lentement les yeux, Démon se tourna vers le dieu.

— Que leur est-il arrivé ?

— Les hommes-dragons, toussa Kalkho.

— Jason, crachota Kafto.

Démon hocha la tête.

— Je crois que je ferais mieux de vous installer dans un enclos spécial près du taureau crétois. Vous serez plus à l'aise pour tout me raconter.

— Oui, approuva Héphaïstos. Et tu as très bien réagi, mon garçon. Je vais terminer ici. Viens me voir un peu plus tard pour me donner de leurs nouvelles.

En s'éloignant avec les taureaux, Démon entendit le dieu de la forge demander aux dryades de remettre en état l'herbe et les arbres, et à un petit groupe de nymphes de débarrasser les fleurs de la suie qui les recouvrait.

— Mettez-vous à l'aise, dit-il aux taureaux en leur ouvrant la porte de l'enclos spécial. Je vais vous chercher un peu de gâteau d'ambroisie.

Il sortit et entendit un battement d'ailes au-dessus de sa tête. Le griffon était perché sur le toit des étables.

— Alors, fils maigrichon de Pan ? Ça y est, tout est sous contrôle ? Tu vas peut-être pouvoir enlever ta combinaison ridicule. Tu ressembles à un insecte bizarre, avec ce truc sur le dos.

Démon baissa les yeux. Le griffon avait raison. Ses jambes paraissaient ridiculement longues et maigres, mais il s'en fichait pas mal. Le kit de pyroprotection l'avait empêché de finir comme une chips carbonisée.

— Tu dis ça parce que tu es jaloux, Arnie, rétorqua-t-il. Tu aimerais bien avoir une combinaison comme la mienne.

Malgré tout, il commença à tirer sur la ferme-ture Éclair, mais une voix retentit aussitôt à ses oreilles.

— Vérification de sécurité. Rapport sur l'évolution de l'incendie exigé.

— Tout va bien, répondit Démon. Je ne risque plus rien.

La combinaison prit de l'ampleur.

— Processus de déshabillage lancé, fit la voix, alors que la capuche et le masque transparent se rétractaient. Vous pouvez tirer sur la fermeture Éclair et vous extraire.

C'était plus facile à dire qu'à faire, mais Démon parvint à se dégager de la combinaison qu'il jeta négligemment sur une botte de paille.

— Je m'occuperai de toi plus tard, dit-il.

— Toute assistance de pliage sera la bienvenue, grésilla la voix. La combinaison de pyro-protection, copyright Héphaïstos, est toujours là pour vous servir en cas d'incendie.

CHAPITRE 3

LES TAUREAUX DE BRONZE

Une fois un peu reposés et le ventre plein, les taureaux racontèrent leur histoire à Démon.

— On a vu ce héros arriver, commença Khalko.

Démon leva les yeux au ciel. Il n'aimait pas les héros. La plupart passaient leur temps à s'en prendre aux animaux de l'Olympe.

— Oui, Jason, renchérit Kafto. Il nous a battus et nous a obligés à labourer un immense champ boueux. Ensuite, il y a planté des dents.

— Des dents de dragons, précisa Khalko. Sauf que ce ne sont pas des dragons qui ont poussé. C'étaient des hommes-dragons.

— En pierre, avec des haches et des épées. Ils ont jailli de nulle part et ils se sont attaqués à Jason.

— Et à nous, meugla Khalko. Ils couraient autour de nous et nous enfonçaient leurs épées dans le dos et les flancs.

— Et que s'est-il passé, après ? demanda Démon.

— On ne se rappelle pas grand-chose, après ça, avoua Kafto, parce qu'on a un peu perdu les pédales. Je crois avoir entendu une fille crier qu'elle allait endormir les dragons et que Jason devait se mettre à l'abri.

— Oui, et j'ai vu Jason grimper dans un arbre auquel était accroché un gros paquet doré, et puis, après on a dû mourir et être envoyés ici.

Démon hocha la tête.

— Oui, c'est ce qui arrive aux créatures immortelles. Quand vous perdez la vie sur Terre, vous êtes envoyées sur l'Olympe pour être soignées. Quoi qu'il en soit, vous êtes en sécurité maintenant. Je vous apporterai encore du gâteau d'ambroisie quand vous aurez terminé celui-là. Vous avez besoin de reprendre des forces après ce que vous venez de traverser.

Il y eut un mugissement, et une gerbe d'étincelles jaillit de l'enclos d'à côté. Démon passa la tête par-dessus la palissade.

— D'accord, d'accord, toi aussi, tu en auras, goinfre ! lança-t-il au taureau crétois. Et en attendant, tu peux peut-être raconter à tes nouveaux voisins comment cet horrible Héraclès s'en est pris à toi.

Démon alla chercher de quoi remplir les mangeoires, et alors que les trois bovins se régalaient, il entreprit de nettoyer le désordre laissé par Autolykos. Il y consacra le reste de la journée jusqu'au soir. Puis, épuisé, il mangea un peu de gâteau d'ambroisie et monta se coucher dans sa petite chambre au-dessus des étables. Il se laissa tomber sur son lit et, tirant sa couverture tissée en fil d'araignée, il pria Zeus qu'aucune urgence ne le réveille au moins jusqu'au lendemain matin. Il avait la sensation désagréable qu'il n'avait pas fini d'entendre parler de Jason.

Le lendemain, cependant, tout semblait parfaitement normal. Démon s'occupa de nourrir les animaux et de nettoyer leur litière, tout en discutant avec eux.

— Tu m'as manqué, dit-il à Doris qui le suivait partout en portant balais et seaux dans ses neuf bouches. Le royaume de Poséidon était intéressant et j'ai adoré passer du temps avec Eunice, mais je préfère quand même être ici.

— Friandises ? proposa l'hydre avec espoir en laissant tomber un des seaux sur le pied de Démon.

— Aïe ! Plus tard, répondit le garçon en dansant d'un pied sur l'autre avant de frotter ses orteils endoloris. Il faut d'abord que je demande aux faunes de cuisine de nous apporter du gâteau d'ambroisie. Autolykos avait raison sur au moins une chose : tu as bavé sur tout ce que nous avions en stock.

Il tapota un des cous de l'hydre et ajouta :

— Dommage que ce ne soit pas sur lui que tu aies bavé. Tu aurais peut-être réussi à le noyer.

Après avoir rangé le nouvel arrivage de gâteau d'ambroisie, Démon prit la direction des forges d'Héphaïstos sous la montagne. De lourds *bang* et *clang* lui parvinrent quand il approcha et il glissa prudemment la tête à l'intérieur. Il n'avait pas oublié la fois où il était entré alors qu'Héphaïstos travaillait en mode dragon. Il avait failli se faire transformer en morceau de charbon. Mais cette fois, il n'y avait aucun panneau avec une tête de dragon ou un crâne et des os croisés.

Le dieu était en train de marteler un énorme bol or et argent, presque assez grand pour qu'on puisse prendre un bain dedans.

— C'est quoi ? demanda Démon.

— Zeus veut l'offrir à un roi qu'il apprécie particulièrement sur terre, expliqua Héphaïstos en échangeant son gros marteau contre un plus petit argenté.

Il se remit à taper à l'intérieur du bol et peu à peu, sous ses doigts habiles, naquit, à l'extérieur, une représentation de Zeus tenant un éclair dans chaque main.

— J'y ajoute un peu de magie, précisa-t-il. La nourriture ou la boisson dont le bol sera rempli se renouvellera sans cesse. Et sinon, comment vont mes taureaux ?

— Justement, c'est ce que je voulais savoir, fit Démon. Qu'est-ce que tu veux dire par « mes taureaux » ?

— C'est moi qui les ai fabriqués, soupira le dieu. Ils sont un peu comme mes automates, du moins en partie. Je les ai offerts au roi de Colchide il y a quelques années. Je ne l'aime pas beaucoup, mais il m'a rendu service un jour.

— Il ne s'est pas très bien occupé d'eux, grimaça Démon. Pourquoi les a-t-il prêtés à cet horrible Jason ? Je pense qu'on devrait les garder ici, maintenant. Je prendrai soin d'eux bien mieux que lui.

Il s'interrompit et fronça les sourcils.

— Je suppose que c'est parce qu'ils sont en partie robots qu'ils n'ont pas été sensibles à la flûte de mon père, mais dans ce cas, comment se fait-il qu'ils saignaient ?

— C'est justement ce qu'il y a de plus ingénieux, répondit Héphaïstos manifestement très fier de lui. Je voulais leur donner l'apparence la plus réelle possible. J'ai donc ajouté dans le mécanisme un mélange qui ressemble à du sang et dont l'ingrédient principal est le crocus rouge. C'est pour ça qu'ils en avaient besoin pour se reconstituer.

Il s'essuya les sourcils du revers de la main.

— J'espère que tu as trouvé une solution pour le raffut qui régnait dans tes étables en ton absence. Je voulais aller faire un tour, mais j'ai été très occupé. D'ailleurs, tu devrais t'en aller, à présent. Arès m'a passé commande d'un grand nombre d'armures, et je vais devoir mettre la forge en mode dragon.

Démon n'avait pas besoin de se le faire dire deux fois. Il retourna vers les étables en chantonnant. C'est alors qu'il entendit un battement d'ailes au-dessus de lui.

— Eh ! fils maigrichon de Pan ! l'appela le griffon en atterrissant devant lui. Tu ferais mieux de te presser un peu. Il y a une fille qui demande à te voir.

— Est-ce que ses yeux sont couleur aiguemarine et ses cheveux vert foncé ? demanda-t-il.

C'était peut-être Eunice, son amie néréide, qui venait lui rendre visite ? Peut-être que les hippocampes étaient de nouveau malades ? Il n'était pas rentré depuis longtemps, mais elle lui manquait déjà beaucoup. Il avait vraiment apprécié de pouvoir discuter avec quelqu'un de son âge.

Le griffon ricana.

— Pas vraiment, non. Et active-toi parce qu'elle n'a pas l'air très content.

Démon allongea le pas.

La fille était plus âgée qu'Eunice. Ses cheveux noirs semblaient bouger tout seuls et ses yeux verts auraient pu être ceux d'un serpent. Ses ongles étaient longs et pointus. Très pointus. Ses doigts étaient crispés sur sa longue robe blanche. Ce n'était pas une déesse. Démon en était certain. Elle n'était pas assez effrayante. Ce n'était pas une naïade non plus, ni une dryade ou une nymphe… Le premier mot qui lui traversa l'esprit fut : sorcière. Autour d'elle, l'atmosphère était étrangement magique.

— Bonjour, lança-t-il avec circonspection. Que puis-je faire pour vous ?

Il valait mieux être poli avec une personne qui semblait posséder des pouvoirs magiques. Ça lui éviterait peut-être de se faire ensorceler.

— Es-tu Pandémonius, le gardien des étables ? demanda la jeune femme.

Le garçon acquiesça. Elle parut aussitôt soulagée.

— Alors tu es celui dont j'ai besoin ! Suis-moi !

Démon lui emboîta le pas jusqu'à la fosse du Tartare, au fond de laquelle les monstres à cent bras grondaient et rugissaient. Devant un char garé près du tas de fumier, étaient étendues deux créatures ailées. Elles avaient un corps allongé, la peau tachée de noir et or, une crête orange sur la tête et des pattes courtaudes munies de grosses griffes. Elles haletaient comme si elles avaient du mal à reprendre leur souffle.

— Au nom d'Arès, s'exclama Démon. Qu'est-ce que c'est ?

— Chut ! siffla la jeune femme en jetant autour d'elle un regard paniqué. Ne mentionne pas son nom ! Il pourrait me retrouver ! Je ne suis pas censée être là.

Elle s'agrippait au bras de Démon et lui enfonçait ses ongles dans la peau. Le garçon se dégagea. Sorcière ou pas, il voulait savoir ce qui se passait.

— Vous feriez mieux de me dire qui vous êtes et pourquoi je devrais vous rendre un service, lâcha-t-il sévèrement. Je veux bien aider vos créatures, mais je refuse d'avoir encore des problèmes avec un dieu.

La jeune fille tomba à genoux, secouée de sanglots. Démon se mordit la lèvre. Il n'avait pas voulu la faire pleurer.

— Allons, allons, fit-il d'un ton apaisant en l'aidant à se redresser.

Il la conduisit vers un rocher.

— Asseyez-vous là.

Il dénicha un mouchoir sale dans les plis de sa tunique et le lui tendit. Elle le regarda d'un air un peu dégoûté avant de le prendre et de se moucher bruyamment dedans.

— Je… je suis la princesse Médée, commença-t-elle à expliquer. J'ai des problèmes avec Arès, le dieu de la guerre, parce que j'ai aidé mon petit ami à voler… quelque chose dans le bois sacré des dieux. Maintenant, il menace de me tuer et je dois me cacher… mais je ne peux pas emmener mes dragons avec moi, parce que tout le monde sait qu'ils m'appartiennent… Mon grand-père m'a dit que tu t'occupais très bien des créatures que l'on te confiait. C'est pour ça que je te les ai amenées… mais voler jusqu'ici les a épuisées et… et j'ai peur… qu'elles meurent…

Sur ces mots, elle se remit à pleurer de plus belle. Démon alla examiner les dragons.

Il fallait reconnaître qu'ils n'avaient pas l'air en grande forme.

— Attendez-moi ici, dit-il à la jeune femme. Je vais chercher ma boîte magique.

Il s'éloigna en se demandant qui était son grand-père et comment il savait qu'il était doué avec les animaux.

— Dépêchez-vous, le supplia Médée. Je ne suis pas sûre qu'ils tiennent encore très long-temps.

CHAPITRE 4

DES DRAGONS,
ENCORE DES DRAGONS

Démon avait posé sa boîte près des dragons et l'ouvrit. La princesse Médée regardait avec inquiétude par-dessus son épaule.

— Boîte, je pense que ces dragons sont seulement épuisés, mais est-ce que tu pourrais jeter un œil, s'il te plaît ?

La boîte clignota en bleu, et des symboles dorés se dessinèrent sur ses côtés. Puis, deux disques argentés reliés à des tubes noirs apparurent et vinrent se coller sur la poitrine des dragons. Quelques secondes plus tard, les tubes se rétractaient dans un claquement.

— Exantlisis extrême détectée, fit la boîte de sa voix métallique. Prenez le remède sur le port et insérez-le dans le sujet.

Il y eut un cliquetis, et une bouteille remplie d'un liquide orange jaillit, accompagnée d'une petite cuiller.

— Qu'est-ce que ça veut dire ? demanda la princesse. En quelle langue parle-t-elle ?

Démon soupira. Comme d'habitude, la boîte avait utilisé son jargon bizarre.

— Ne vous en faites pas, elle a juste dit que les dragons étaient totalement épuisés. Je pense que, quand il l'a fabriquée, Héphaïstos a fait exprès de la rendre aussi agaçante. Mais bon, elle trouve toujours le médicament qu'il faut.

Il versa une grande cuillerée de liquide orange et l'approcha du dragon. Il avait une drôle de gueule à franges. Quand il l'ouvrit, il révéla deux rangées de dents acérées. Alors que Démon terminait avec le deuxième dragon, le premier souleva les paupières, tendit le cou et lui mordit les fesses. Aïe ! Ça brûlait comme de l'acide.

— Aouh ! cria-t-il en bondissant en arrière et en se tenant le postérieur.

Offy et Yukus, les deux serpents de son collier magique, se précipitèrent pour guérir sa blessure.

— Méchant dragon, gronda la princesse Médée, tu ne dois pas mordre le gentil garçon d'étables, c'est lui qui va te garder pendant que je ne serai pas là.

Puis elle se tourna vers Démon.

— Je dois partir avant que tu-sais-qui ne découvre où je suis. Prends soin d'eux, d'accord ?

La jeune femme sortit une fiole de la poche et déposa quelques gouttes d'un liquide incolore sur sa langue.

— Beurk ! grimaça-t-elle, ce truc est vraiment dégoûtant. Pas étonnant que mon Jason ait fait cette tête quand je lui en ai donné.

— Quoi ! s'écria Démon. Que voulez-vous dire par « votre Jason » ?

Mais c'était trop tard. Elle avait disparu dans un nuage de fumée. Qu'est-ce que la princesse Médée avait à voir avec l'horrible Jason ?

Les deux dragons trépignaient dans leurs harnais, à présent. Il fallut un moment à Démon pour les calmer. Il voulait leur poser des questions sur leur maîtresse, mais il devait d'abord savoir quel genre de dragons ils étaient afin de déterminer quel enclos il pouvait leur attribuer.

— Est-ce que vous crachez du feu ? leur demanda-t-il.

— Non, on est des cracheurs de poison, répondit le premier.

— Et des mordeurs, ajouta le second en montrant ses crocs. Tu veux que je te remontre ?

— Non merci, fit Démon, je crois que j'ai compris. Je vais vous installer près du scorpion géant. Vous pourrez lui cracher dessus autant que vous voudrez, il ne s'en rendra même pas compte.

À peine Démon eut-il fermé la porte de l'enclos de ses nouveaux locataires que les écuries s'assombrirent et devinrent glaciales. Une odeur de transpiration et de sang séché flotta dans l'air, et des bruits de bottes retentirent.

— Oh non ! murmura-t-il alors que deux lignes de soldats revêtus d'armures au plastron estampillé d'une dague sanglante entraient en marchant au pas.

C'était forcément un dieu.

— Halte ! Demi-tour droite ! Présenteeeeeez… armes !

Dans un claquement métallique, les deux lignes de soldats se retrouvèrent face à face, formant une haie de lances dressées. Démon s'agenouilla et courba la nuque. Une silhouette gigantesque, en armure dorée, s'avança vers lui. Une paire de sandales clouées d'or se matérialisa sous son nez.

Le garçon n'avait pas besoin de regarder pour savoir de qui il s'agissait : Arès, le dieu de la guerre, accompagné de ses gardes du corps.

Il y eut le bruit d'une épée dégainée et le froid du métal sous son menton pour l'obliger à lever la tête. Il se mit à trembler, mais s'arrêta très vite en sentant une goutte de sang couler dans son cou. Arès avait posé sur lui ses yeux gris et froids.

— Fils de Pan, clama-t-il d'une voix étonnamment haut perchée, nous nous rencontrons enfin ! J'ai tellement entendu parler de toi. Tu es un extraordinaire soigneur, paraît-il.

Il baissa son épée et souleva Démon par le col de sa tunique pour inspecter la petite coupure qu'il lui avait faite.

— Du sang ! N'est-ce pas magnifique ? Qu'en pensez-vous, les garçons ?

Il se tourna vers ses soldats qui répondirent en chœur :

— Oui, mon général, le sang, c'est magnifique, mon général !

Ils frappèrent leur poing ganté contre le plastron de leur armure. Arès leva la main et ils se pétrifièrent de nouveau, droits comme des i. Démon était terrifié.

— Viens avec moi, garçon d'étables, reprit Arès. J'ai besoin que tu t'occupes d'une de mes créatures. Amenez-le ! cria-t-il à ses gardes en lançant Démon vers eux.

Un des soldats le rattrapa, et tous se mirent en ordre de marche derrière leur maître.

— Un, deux, un, deux, un deux ! aboyèrent-ils d'une seule voix en l'entraînant avec eux.

Ils traversèrent l'Olympe à grands pas. Démon se retrouva jeté au fond d'un char attelé de quatre féroces chevaux noirs. Il était bien trop effrayé pour même penser à protester ou à poser la moindre question. Il sentit Offy et Yukus soigner sa blessure et espéra que les serpents pourraient l'aider à s'occuper de l'animal malade d'Arès. S'il restait en vie jusque-là. Tout ce qu'il savait du dieu de la guerre, il le tenait des ragots des nymphes. Elles affirmaient qu'il était le plus cruel de tous et qu'aidé de sa sœur Éris, il passait son temps à semer la haine et la discorde sur la Terre. Alors que le char plongeait à toute allure, Démon, bringuebalé à droite et à gauche, essayait de s'agripper à quelque chose. Arès faisait claquer son fouet en hurlant à ses chevaux d'aller plus vite.

— Pourvuquejenetombepas, pourvuquejenetombepas, marmonnait Démon, les yeux fermés.

Il avait fini par trouver une corde à laquelle il s'accrochait désespérément. Puis il y eut un bruit sourd et un soubresaut comme si les roues du chariot avaient heurté quelque chose de dur. Démon se retrouva projeté à l'extérieur du char et atterrit violemment sur une surface bosselée.

— Tu es en retard, mon frère, fit une voix féminine. Et qu'est-ce que c'est que ce détritus que tu nous ramènes ?

Un orteil s'enfonça dans les côtes de Démon. Quand il ouvrit les yeux, une déesse au visage austère le toisait. Elle avait des cheveux courts et sales, des lèvres fines qui formaient un rictus dédaigneux et des petits yeux colériques.

— C'est ça que Zeus appelle un garçon d'étables ? Il ressemble plus à de la vermine et il répand une odeur de soue à cochons !

Elle s'éloigna en claquant des talons.

— Lève-toi ! cria Arès à Démon en agitant son épée d'un geste menaçant. Tu as du travail. Va t'occuper de mon dragon tout de suite, ou je te découpe les jambes pour en faire du tartare et je t'oblige à courir droit devant toi pour l'éternité.

Démon se redressa immédiatement, tremblant de la tête aux pieds. Se faire découper les jambes

était encore pire que d'être
transformé en petit tas

de cendres. Et c'était sans doute beaucoup plus douloureux.

— Ou… oui, votre Militaire Magnificence, parvint-il à articuler d'une petite voix.

Arès partit rejoindre Éris, et le frère et la sœur commencèrent aussitôt à se disputer violemment à propos du nombre de soldats qu'ils avaient respectivement tués dans la dernière guerre qu'ils avaient provoquée.

Où est le dragon ? se demanda Démon. Il finit par le repérer un peu plus loin, sous un épais buisson au milieu d'un bosquet. Les feuilles des arbres étaient en or. La créature était allongée, son long corps rouge,

une flamme immobile, un filet de fumée s'échappant de ses naseaux.

Démon traversa le champ boueux qui le séparait du bosquet. Il réalisa que ce qu'il avait d'abord pris pour des cailloux grisâtres était en fait... des morceaux de corps. Des bras et des jambes de pierre, des têtes et des torses empilés. Le garçon devait faire attention à ne pas trébucher. Des mains tenaient encore leur épée ou leur lance. Quel genre de bataille transformait les corps en statues ? Il aperçut une flaque de sang rouge et fumant près d'une charrue de bronze renversée. Il se rappela alors l'histoire que lui avaient racontée Khalko et Kafto.

— Jason, murmura-t-il. Ce doit être les soldats-dragons qu'il a tués.

Il se mit à courir, sautant par-dessus les cadavres comme un chevreuil. Et si Jason avait mortellement blessé le dragon ? Et si Démon ne pouvait pas le soigner ? Il repensa à la menace d'Arès et courut encore plus vite.

CHAPITRE 5

LE DRAGON DE COLCHIDE

L e filet de fumée s'était presque éteint quand Démon arriva près du dragon. Il se jeta sous le buisson et inspecta le corps de la pauvre créature. Les écailles étaient chaudes sous sa paume, et il ne découvrit aucune blessure. Il secoua l'épaule du dragon, faisant bouger sa crinière de pointes.

— Réveille-toi, dragon, supplia-t-il. Réveille-toi !

Une des paupières du dragon tressaillit.

— Va-t'en, gronda-t-il en se recroquevillant sur lui-même. Je ne suis pas là, tu ne peux pas me voir.

— Bien sûr que si, rétorqua Démon. Tu es juste devant moi.

— Non, grommela le dragon en enroulant sa queue autour de sa tête et de ses pattes.

— Qu'est-ce que tu as ? lui demanda Démon. Arès m'a ordonné de te soigner, mais je ne peux rien faire si tu ne me dis pas où tu as mal.

— Lalalalalalalala, fit le dragon en enfonçant ses griffes dans ses oreilles.

— Par Zeus, lâcha Démon exaspéré, je vois que tu n'as rien. Je vais aller dire à Arès que tu vas très bien. Tu boudes, c'est tout.

Alors que le garçon tournait les talons, le dragon déroula sa queue et l'enserra dedans.

— Non, je ne boude pas, grogna une grosse voix à son oreille.

Démon parvenait à peine à respirer avec le dragon qui lui écrasait le torse et les vapeurs méphitiques qui s'échappaient de sa gueule.

— D'accord, d'accord, haleta-t-il. Tu ne boudes pas, je suis désolé. Lâ… lâche-moi maintenant et dis-moi ce que tu as. Arès veut une réponse sinon… il va me découper les jambes.

Le dragon desserra un peu son étreinte, et Démon sentit un liquide chaud lui couler sur l'épaule. Il tourna la tête et vit… que le dragon pleurait. De grosses larmes orange se formaient au coin de ses yeux flamboyants et se solidifiaient avant de tomber au sol dans un petit *plic*.

— Wahou ! s'extasia-t-il, des pierres de feu ! Je n'en avais jamais vu. C'est magnifique !

Il dégagea sa main et caressa les cornes du dragon.

— Allez, allez, ça va aller, c'est juste moi, Démon, le garçon d'étables. Je suis ton ami. Tu es en sécurité avec moi. Raconte-moi ce qui t'est arrivé.

Le dragon poussa un profond soupir, laissant échapper un filet de fumée.

— Je peux pas, sanglota-t-il. J'ai trop honte.

Il lâcha Démon et enroula de nouveau sa queue autour de sa tête.

— Tu n'as qu'à me tuer ! Ça abrégera mes souffrances.

— Quoi ? s'écria Démon. Te tuer ?

Il plaqua aussitôt sa main sur sa bouche. Pourvu qu'Arès ne l'ait pas entendu.

— Je n'ai jamais tué un animal de ma vie, reprit-il d'une voix plus basse, et je n'ai pas l'intention de commencer aujourd'hui. De toute façon, tu es immortel. Tu ne peux pas être tué. De quoi as-tu tellement honte ? Est-ce que cet horrible Jason t'a fait quelque chose ?

Mais avant que le dragon puisse répondre, Arès hurla depuis l'autre côté du champ de bataille.

— Qu'est-ce qui te prend si longtemps, garçon d'étables ? Je te donne dix secondes pour remettre mon dragon sur pattes, sinon je te découpe les jambes et les bras ! Dix, neuf, huit…

— S'il te plaît, dragon, supplia de nouveau Démon, lève-toi et viens avec moi sur l'Olympe. On ne peut pas régler ton problème ici. Je t'installerai dans un box confortable. Si tu refuses, Arès va me…

Il tremblait si fort qu'il ne parvint pas à terminer sa phrase.

— Cinq, quatre…

— Bon d'accord, grommela le dragon en se redressant.

Il se dandina vers le dieu de la guerre qui l'attendait, les poings sur les hanches.

— Mais je n'aime pas les étables de l'Olympe, grogna le dragon. Et je te préviens, les autres bêtes ne m'aiment pas non plus.

— Trois, deux…

Juste à temps ! Démon s'agenouilla devant Arès en réfléchissant à toute vitesse. Il allait devoir mentir.

— J'ai… j'ai examiné votre dra… dragon, votre Martiale Merveilleuseté et… il est très malade. Je pense qu'il a pu être empoisonné par Jason. Il f… faut que je l'examine correctement avant de poser un véritable diagnostic.

Le dragon poussa un gémissement et se recroquevilla de nouveau sur lui-même.

— J'ai l'impression qu'on est surtout devant un gros cas de lâcheté aiguë, ricana Éris en s'approchant. Ce gros serpent à pattes ne m'a pas du tout l'air empoisonné.

Elle lui jeta un regard méchant avant d'ajouter avec une horrible voix de bébé :

— Est-ce que notre petite chochotte a besoin de prendre des vacances de chochotte sur l'Olympe ?

Puis elle se tourna vers son frère, les mains sur ses hanches maigres.

— Tu n'as qu'à lui planter une bonne fois pour toutes ton épée dans le cœur, et qu'on n'en parle plus ! Il ne te sert à rien dans cet état !

Arès dégaina son épée et Démon se tendit, prêt à se jeter devant le dragon pour le protéger. Il refusait que quiconque lui fasse du mal même si pour ça, il devait se retrouver passé au fil de l'épée par le dieu de la guerre. Mais Arès ne se servit pas de son arme contre son dragon. Il fit volte-face et, en un éclair, il la colla sous la gorge de sa sœur.

— Je n'autorise personne à traiter mon dragon sacré de lâche ! gronda-t-il, et je ne tuerai pas non plus ce misérable Jason qui a les faveurs d'Héra pour l'avoir empoisonné ! La princesse sorcière Médée est prête à tout pour aider cet avorton, et je me méfie de ses potions !

Il se tourna vers Démon.

— Je dois aller m'occuper d'une petite guerre en Thessalie. Ramène cette bête sur l'Olympe et remets-la sur pied avant que je revienne, sinon…

Il agita son épée d'une façon menaçante, et les jambes de Démon se remirent à trembler de façon incontrôlable.

— Viens, Éris, beugla le dieu en sautant dans son char, il est temps de faire couler un lac de sang !

— Chouette ! Enfin un peu d'amusement ! s'écria Éris en bondissant aux côtés de son frère. Rien de plus marrant qu'une bonne bataille avec des cris et des hurlements ! Demandons à Alecto et ses Furies de se joindre à nous !

Arès fit claquer son fouet, et les quatre féroces chevaux se cabrèrent avant de s'élancer en avant.

Ils sont aussi horribles l'un que l'autre, songea Démon en les regardant disparaître dans le ciel. Mais il se garda bien de le dire à haute voix, au cas où ils auraient été capables de l'entendre.

— Ils sont partis ? demanda le dragon d'une petite voix.

— Oui, acquiesça Démon. Et maintenant, je dois trouver un moyen de te ramener sur l'Olympe.

Il se mâchouilla un ongle en réfléchissant. En général, les bêtes blessées lui arrivaient par l'Iris Express, mais qui l'appelait pour elles ? Il n'avait jamais pensé à poser la question. Il espérait que ce n'était pas le dieu ou la déesse dont elles dépendaient...

— Tu peux appeler l'Iris Express ? demanda-t-il au dragon.

— Oh non, grogna ce dernier. Je ne monte pas sur ce truc. J'ai trop peur de tomber.

— Moi aussi, j'ai eu peur de tomber la première fois, essaya de l'amadouer Démon. Mais en réalité, on ne risque rien, tu sais. L'Iris m'a déposé beaucoup de bêtes blessées ou malades, et aucune n'est jamais tombée. Si tu sais comment l'appeler, ça nous serait d'une grande aide.

— Si j'ai pas le choix, soupira le dragon. Mais je te préviens, tu vas regretter de m'emmener là-haut.

Juste à ce moment, un long *prouououout* s'échappa de l'arrière-train du dragon et une horrible odeur d'œufs pourris et de chaussettes sales se répandit dans l'air.

— Beurk ! s'exclama Démon en agitant la main devant son nez. Il va falloir qu'on trouve une solution pour te débarrasser de ça ! Tu sens encore plus mauvais que les vaches du soleil quand elles mangeaient du gâteau d'ambroisie.

— Je vais ignorer cette remarque désobligeante, répliqua le dragon, vexé.

Puis il se racla la gorge dans un petit nuage de fumée et cria :

— Iris Express pour une bête et un garçon, direction l'Olympe !

Rien ne se produisit.

— Peut-être que tu dois parler un peu plus fort, suggéra Démon en respirant par la bouche.

Il devait se retenir pour ne pas se pincer le nez. L'odeur était vraiment immonde.

— IRIS EXPRESS POUR UNE BÊTE ET UN GARÇON, DIRECTION L'OLYMPE ! rugit le dragon en faisant jaillir une gerbe d'étincelles qui enflammèrent les gaz provenant de son derrière.

Démon sauta en arrière, luttant contre les flammes qui menaçaient de mettre le feu à sa tunique. Au moment où l'odeur de ses propres cheveux brûlés lui chatouilla les narines, il se retrouva baigné dans une brume de gouttelettes. Il se frotta les yeux et, dégageant un filet de vapeur, il vit qu'une lumière irisée descendait du ciel.

— Extincteurs célestes activés, lança la voix tintinnabulante de l'Iris Express. Assurez-vous que tous les départs de feu sont éteints avant de monter à bord.

Démon était presque sûr qu'il ne brûlait plus, mais il se passa les mains un peu partout pour ne prendre aucun risque avant de pousser le dragon sur l'Iris Express.

— Mon ami dragon est un peu nerveux, annonça-t-il, pensez-vous qu'il serait possible de prévoir une ceinture spéciale pour nous deux, s'il vous plaît ?

Aussitôt, des cordes arc-en-ciel s'enroulèrent autour d'eux.

— Accrochez-vous pour le départ ! lança Iris en s'élançant vers le ciel.

Prouououououout émit l'arrière-train du dragon. Heureusement, Démon eut le temps de respirer une longue goulée d'air frais avant d'être pollué. Mais il ne pouvait retenir sa respiration très longtemps. Quand l'Iris atterrit, il se laissa rouler sur le sol de l'Olympe, haletant.

CHAPITRE 6

ÇA PUE (ENCORE)

SUR L'OLYMPE

— Beurk, fit une nymphe quand ils passèrent devant elle. Qu'est-ce que c'est que cette puanteur ? Si les déesses sentent ça, tu vas en prendre pour ton grade !

— Tu vois, grommela le dragon, ça commence déjà. Ils me détestent tous.

— Ne sois pas bête, dragon, le rassura Démon. Personne ne te déteste. On va régler ton... petit problème, rapidement. Ma boîte magique va te trouver le bon remède. Pour le moment, suis-moi, je vais t'installer dans un des enclos spéciaux pour les dragons.

Démon prit la direction des étables en espérant qu'il n'y aurait pas d'autres pets sur le chemin. La nymphe avait raison. Si les déesses sentaient cette odeur, elles ne tarderaient pas à transformer Démon en un petit tas de cendres.

— Eh, fils maigrichon de Pan ! siffla le griffon en le voyant arriver. Où est la viande que tu m'as promise ? Je suis affamé !

Il claqua du bec dans l'oreille du garçon.

— Pas maintenant, Arnie, le rembarra Démon. Tu ne vois pas que je suis occupé ? Je t'ai dit que je demanderais à Hermès, mais pour l'instant, comme tu peux le voir, je dois installer une nouvelle bête dans les étables.

— Pfff, fit le griffon en agitant sa queue de lion, tu es un dragon, c'est ça ? Je me souviens de toi. Ton chicaneur de patron t'avait envoyé garder un truc important, non ? C'était quoi, déjà ?

— La Toison d'or, marmonna le dragon, et n'appelle pas mon patron comme ça, il a des oreilles partout, tu sais.

Le griffon émit un ricanement et battit des ailes pour aller se poser sur le toit, son perchoir habituel. Démon guida son nouveau locataire dans le fond des étables et ouvrit les lourdes portes anti-feu qui menaient dans une caverne profonde. Il croisa les doigts en espérant que la roche empêcherait les mauvaises odeurs de se répandre.

— Tu vas t'allonger tranquillement et fermer les yeux, dit-il au dragon. Je vais chercher ma boîte et ensuite je te donnerai à manger.

Mais alors qu'il s'éloignait, le dragon l'emprisonna une nouvelle fois dans sa queue.

— Ne t'en va pas ! gémit-il.

— Pourquoi ? lui demanda le garçon. Tu ne veux pas que je te soigne ?

— Si, opina le dragon, mais avant, il faut que je te raconte ce qui s'est passé là-bas, sinon, je vais exploser.

La pauvre bête avait l'air si malheureuse que Démon lui caressa les cornes quand un sonore « prouououououout » empuantit l'atmosphère, et il dut enfouir son nez dans ses écailles pour ne pas être asphyxié.

— J'ai gardé la Toison d'or en Colchide pendant des années, commença le dragon. Je ne dormais jamais. On m'appelait « le scrutateur » et j'étais fier de la confiance qu'Arès m'avait accordée. J'avais même donné de bon cœur mes dents à son ami le roi Æétès parce que je savais qu'elles feraient pousser des soldats qui m'aideraient à défendre la terre sacrée de mon maître.

— Oh ! s'exclama Démon, ce sont tes dents que Jason a plantées dans ce champ !

— Oui, grogna le dragon, mais ne m'interromps plus ou je t'écrabouille.

Démon ferma la bouche.

— Je n'avais qu'une amie au monde, reprit le dragon, du moins, je pensais qu'elle était mon amie. La princesse Médée, la fille d'Æétès. Elle venait me voir chaque jour, c'est elle qui récupérait mes dents une fois par an, et elle procédait avec tant de douceur que je n'avais jamais mal. Elle faisait briller mes écailles et me chantait des chansons. La semaine dernière, un navire a accosté en Colchide. Un navire plein de héros. Je savais qu'ils voulaient voler la Toison d'or, Médée me l'avait dit. Elle avait précisé que leur chef, Jason, était très rusé et elle m'a demandé d'être particulièrement vigilant. Elle m'a même proposé de m'apporter une décoction de genièvre qui me permettrait de regarder dans toutes les directions à la fois.

La voix du dragon n'avait jamais été aussi triste.

— Mais elle mentait. Je l'ai laissée appliquer la potion sur mes paupières et j'ai attendu le résultat, mais soudain, j'ai senti mes paupières se fermer. Je me suis profondément endormi. Moi, le dragon qui ne dormait jamais, j'ai failli à mon maître. Dans mon rêve, j'ai vu Médée recouvrir Jason d'une huile qui le rendait invincible, je l'ai vu, lui, vaincre les taureaux Khalko et Kafto, je l'ai vu ensuite semer mes dents et combattre les hommes-dragons qui jaillissaient de la terre, je l'ai senti monter sur mon corps et couper la Toison d'or avec son épée. Puis il a couru vers son navire, Médée à ses côtés. Elle riait alors qu'elle les rendait tous deux invisibles de façon à ce que les gardes de son père ne puissent pas les arrêter.

De grosses larmes coulaient sur les écailles du dragon, et le sol de la cave se recouvrait de pierres de feu.

— J'avais tellement honte, sanglota la pauvre bête, que je voulais disparaître. C'est toujours ce que je veux. Je ne mérite pas ta gentillesse, et de toute manière, j'ai été banni de l'Olympe. Arès a dû l'oublier, mais la dernière fois que je suis venu, les déesses m'ont promis de m'envoyer au

Tartare avec les montres aux cent bras si je revenais, parce que je sens trop mauvais.

Il laissa échapper un petit *prout*, et la caverne se remplit une nouvelle fois d'un gaz toxique.

— Tu vois, gémit-il, c'est ce qui arrive quand je suis perturbé. Personne ne peut me guérir ! Ne t'occupe pas de moi ! Je mérite d'être envoyé au Tartare !

Il lâcha Démon pour mieux se recroqueviller sur lui-même.

Démon ne savait pas quoi faire. Il voulait le réconforter, mais à force de retenir sa respiration, il était sur le point d'étouffer.

— Je reviens tout de suite avec ma boîte, lança-t-il. Ne t'en fais pas, je vais trouver un moyen de te guérir. Et je ne laisserai personne t'envoyer au Tartare.

À peine eut-il mis les pieds dans les allées de l'étable qu'il fut accueilli par un véritable vacarme.

— On a faim ! beuglaient les trois taureaux.

— On a faim ! hennissaient les chevaux ailés.

— J'ai faim ! rugissait le lion de Némée.

Bang ! ajoutait le scorpion géant en frappant la queue contre la paroi de son box.

— Friandises ! glapit Doris en bavant dans ses seaux et ses balais.

— Ça va, ça va ! cria Démon, j'arrive.

Il nourrit ses bêtes aussi vite que possible, puis alla chercher la boîte à l'infirmerie. Sur l'étagère des plantes médicinales, il prit des feuilles de menthe séchées et une petite bouteille d'huile. La menthe était bonne pour la digestion. Ça aiderait peut-être à résoudre les soucis du dragon.

— Viens, boîte, dit-il en la prenant par ses poignées argentées. Nous avons un patient à examiner.

Mais la boîte resta parfaitement silencieuse. Il la secoua un peu.

— Eh, réveille-toi ! On a du travail.

La boîte frissonna, clignota en bleu et entrouvrit son couvercle. Une nuée de minuscules insectes multicolores s'en échappèrent et vinrent se poser sur le bras de Démon.

— Eh ! s'exclama le garçon en lâchant la boîte pour les enlever.

Ils tombèrent sur le sol et disparurent dans une gerbe d'étincelles.

— Qu'est-ce que c'est que ça ? Qu'est-ce qui t'arrive ?

— Réparation immédiate requise ! fit une voix métallique étouffée. Fermeture de tous les programmes. Blocage du système imminent.

La boîte se referma dans un claquement et n'émit plus aucun son. Démon tapa du pied.

— Non ! cria-t-il. POURQUOI EST-CE QUE TU TOMBES TOU-JOURS EN PANNE QUAND J'AI BESOIN DE TOI ?

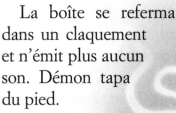

Il donna un coup de pied dans la boîte qui bascula sur le côté.

— Eh bien, eh bien, Pandémonius, je ne crois pas qu'Héphaïstos serait très content de te voir maltraiter son maté-riel. Tu as un problème ?

Démon leva la tête. Dans l'encadre-ment de la porte, un dieu grand et svelte le regar-dait avec un sourire malicieux.

— Oui, grogna le garçon. J'ai un dragon dépressif et affligé d'horribles problèmes de digestion, et ma stupide boîte a décidé de se mettre en grève. Si la puanteur dégagée par les entrailles du dragon atteint les narines délicates des déesses, je vais me retrouver transformé en morceau de charbon, et la pauvre bête va être envoyée au Tartare. Et si je ne la guéris pas, Arès va me découper les bras et les jambes en morceaux et me faire courir autour de la terre pour l'éternité.

Il se laissa tomber sur la boîte et se prit la tête dans les mains.

— Je devrais demander à Héra et aux autres de me carboniser tout de suite, au moins comme ça, ce serait terminé une bonne fois pour toutes.

Hermès, le messager des dieux, éclata de rire.

— Allons, viens, dit-il en aidant Démon à se relever. Apportons ta boîte à Héphaïstos. Il va te la réparer en un rien de temps. C'est lui qui l'a fabriquée, après tout.

— Et s'il n'y arrive pas ? s'inquiéta Démon.

— Alors, on trouvera un autre moyen de te sortir de là, repartit Hermès. Ne jamais désespérer, c'est ma devise. Il y a toujours une solution !

CHAPITRE 7

HÉPHAÏSTOS ET HERMÈS

Démon suivit Hermès, le moral dans les talons. Malgré les mots réconfortants du jeune dieu, il savait qu'il n'avait pas beaucoup de temps. Le problème d'odeur du dragon était bien pire que celui des vaches du soleil. Sans compter que l'émission permanente de gaz risquait de faire exploser la caverne et les étables. Peut-être même l'Olympe. Il ne voulait surtout pas essayer d'imaginer la réaction de Zeus si une telle catastrophe se produisait. Se faire foudroyer par mille éclairs en même temps n'était sûrement pas une partie de plaisir.

Soudain, il se sentit immobilisé. Un bec puissant l'avait saisi par le col de sa tunique et le tirait en arrière dans un bruit de déchirement.

— Eh, fils maigrichon de Pan ! siffla le griffon en crachant des morceaux de tissu, tu lui as demandé ?

Démon ferma les yeux et prit une profonde inspiration. Il n'avait vraiment pas besoin de ça. Mais une promesse est une promesse.

— Hermès, appela-t-il.

Le dieu, aussi agile qu'une chèvre, gravissait la montagne d'Héphaïstos en chantonnant un refrain grivois sur une nymphe et un berger.

— Vous pouvez venir, s'il vous plaît ?

Le dieu fit demi-tour et revint près de Démon.

— Tiens, mon vieil ami le griffon ! s'exclama-t-il. Comment vas-tu par cette belle journée ensoleillée ? Tu as mordu quelqu'un récemment ?

Démon s'éclaircit la gorge.

— Eh bien, il pense qu'après toute l'histoire avec Autolykos, vous lui devez quelques steaks bien saignants, expliqua-t-il.

Hermès fronça les sourcils.

— Quelle histoire avec Autolykos ? Qu'est-ce que ce petit voyou a encore fait ?

Il regarda autour de lui.

— Où est-il d'ailleurs ? Il était censé t'aider.

— Eh bien, je… je l'ai jeté dans l'Iris Express, répondit Démon un peu nerveusement.

Hermès était très gentil et il avait toujours été adorable avec lui, mais le garçon savait d'expérience que les dieux avaient la faculté de changer d'humeur de façon très subite.

— Il… volait les plumes des chevaux ailés et il battait mes bêtes avec un balai, expliqua Démon. Sans compter qu'il a laissé les étables dans un chaos indescriptible !

— Ah là là, soupira Hermès en secouant la tête. Je ne pouvais malheureusement pas te trouver mieux en aussi peu de temps. Je t'avais prévenu qu'on ne pouvait pas vraiment lui faire confiance. Est-ce que tu as récupéré les plumes ?

Démon acquiesça.

— Bon, j'aurai une petite discussion avec lui quand je le reverrai, fit Hermès.

Puis il leva la tête vers le griffon.

— Et pourquoi te devrais-je des steaks à toi ?

— Avec le lion de Némée, on se débrouillait très bien jusqu'à l'arrivée d'Autolykos, marmonna le griffon. Démon nous avait promis de la viande

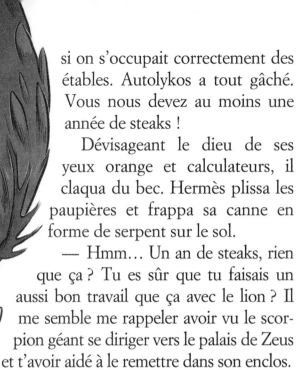

si on s'occupait correctement des étables. Autolykos a tout gâché. Vous nous devez au moins une année de steaks !

Dévisageant le dieu de ses yeux orange et calculateurs, il claqua du bec. Hermès plissa les paupières et frappa sa canne en forme de serpent sur le sol.

— Hmm… Un an de steaks, rien que ça ? Tu es sûr que tu faisais un aussi bon travail que ça avec le lion ? Il me semble me rappeler avoir vu le scorpion géant se diriger vers le palais de Zeus et t'avoir aidé à le remettre dans son enclos.

— C'était juste une petite erreur, marmonna le griffon, un peu gêné.

Démon n'en croyait pas ses oreilles. Le scorpion géant s'était échappé ! Et personne n'avait jugé bon de l'en informer ?

— Tu auras droit à une journée de steaks lors du prochain banquet, décida Hermès. Maintenant, retourne aux étables. Pandémonius et moi avons des affaires plus urgentes à régler.

— Je suis désolé de vous avoir embêté avec ça, fit Démon alors que le griffon s'éloignait en battant des ailes. Je ne savais pas pour le scorpion géant.

— Ne t'en fais pas, le rassura Hermès. Ça ne me gêne pas de lui donner quelques steaks de temps en temps. On en a tous marre de l'ambroisie au bout d'un moment. Ne le répète surtout pas à Hestia.

Quand ils arrivèrent, le soleil baignait la montagne d'Héphaïstos d'une lumière rouge. Un filet de fumée grise s'élevait de son sommet. À l'intérieur, la forge ronflait et le marteau martelait. Les automates poussaient des chariots remplis à ras bord de boucliers, de plastrons, de casques, d'épées et de lances.

— Hephy ! Frangin ! cria Hermès. Tu es où ?

Héphaïstos émergea de derrière un des chariots, s'essuyant le front d'une main noire de suie.

— Je suis là, tonna-t-il. Attends une minute. Je termine ce chargement sur l'Iris Express. Arès a besoin de tout ça pour une guerre en Thessalie.

C'était une bonne nouvelle pour Démon. Si Arès était toujours occupé avec sa guerre, il n'allait pas revenir chercher son dragon tout de suite.

— Qu'est-ce qui vous arrive ? demanda le dieu de la forge quand le dernier chariot fut parti et que les flammes de la forge se calmaient doucement. Démon lui montra la boîte qu'il tenait à la main.

— Je crois qu'elle est cassée. Il y avait des tas d'insectes à l'intérieur, et maintenant, elle ne répond plus.

— Hum, gronda Héphaïstos. Ce n'est pas bon signe. Est-ce qu'elle a dit quelque chose ?

Le garçon répéta mot pour mot les dernières phrases de la boîte.

— J'avais bien besoin de ça ! grogna le dieu. Des bugs dans le système. Il faut que je la démonte entièrement pour m'assurer que les insectes n'ont pas pondu partout à l'intérieur. Le problème, c'est que je suis très occupé en ce moment. Zeus m'a commandé un nouveau collier pour Héra. Ils doivent aller à un mariage et il exige que ce bijou ne ressemble à aucun autre porté par les déesses présentes.

Il se gratta la tête.

— Je ne peux pas m'occuper de la boîte avant au mieux une semaine.

Démon eut l'impression de recevoir un coup de poing dans le ventre. Il ne parviendrait jamais à garder le dragon sous contrôle si longtemps. Il poussa un gémissement. Hermès se pencha vers lui.

— Laisse-moi faire, lui murmura-t-il à l'oreille.

Il s'avança et prit le dieu de la forge par les épaules.

— Tu ne peux vraiment pas t'en occuper plus tôt, Hephy ? Zeus sera sans doute un peu en colère s'il n'a pas le collier pour Héra, mais si les autres déesses sentent ce que Démon cache dans ses étables, je pense qu'il appréciera encore moins. Rappelle-toi ce qu'il a fait au pauvre Éros qui avait balancé une boule puante pendant un banquet. Et Éros est quand même un dieu. Imagine ce qu'il pourrait faire à Pandémonius.

Héphaïstos frissonna.

— Oh, oui, je me souviens. Pauvre Éros. Il a dû se cacher pendant des semaines, le temps que ses plumes repoussent. Alors quelle bête as-tu secourue, cette fois, Pandémonius ? ajouta-t-il en se tournant vers le garçon.

Pendant que Démon racontait l'histoire du dragon et de ses problèmes de digestion, Hermès remarqua quelque chose qui brillait dans les lanières des sandales du garçon. Il se pencha et le récupéra avant de le lever vers la lumière. Des halos rouges et orange dansèrent sur les parois de la grotte.

— Par Zeus, qu'est-ce que c'est que ça ? demanda Héphaïstos en prenant la pierre des mains d'Hermès pour l'examiner de plus près.

— Oh, c'est une larme du dragon, expliqua Démon. Il y en a plein sur le sol de sa caverne.

— Je te propose un marché, fit Héphaïstos en commençant à dessiner des projets de colliers sur une ardoise. Si tu m'apportes chacune des larmes de ton dragon, je te répare la boîte aussi vite que possible. Ces pierres seront parfaites pour le collier d'Héra. Je n'ai jamais rien vu d'aussi beau. Tu n'as qu'à garder ton dragon enfermé encore un peu.

— Je vais essayer, accepta Démon, mais…

Héphaïstos l'interrompit en lui donnant une claque dans le dos et se retourna pour s'occuper d'un appareil sur une de ses étagères.

— Très bien. Tu peux y aller et en attendant, mets ça quand tu seras avec ton dragon. Ça devrait aider.

Il jeta à Démon un masque noir de suie et cria à ses automates de lui apporter de l'or et de l'argent.

Démon et Hermès sortirent.

— Tu vois, sourit le dieu messager en retournant d'un pas léger vers les étables. Je t'avais dit qu'il y avait toujours une solution.

Néanmoins, l'inquiétude de Démon n'avait pas diminué lorsqu'il servit au dragon du gâteau d'ambroisie mélangé à des feuilles de menthe. Il portait le masque que lui avait donné Héphaïstos, mais l'odeur restait aussi horrible. Il referma très vite les portes derrière lui pour qu'elle ne se répande pas.

— Bonjour, lança-t-il gaiement. Je t'ai apporté à manger. J'y ai ajouté des herbes pour ton estomac.

La créature était toujours recroquevillée sur elle-même.

— Quelles herbes ? demanda-t-elle d'une voix lugubre en levant la tête. Si c'est de la menthe, laisse tomber, ça ne marche pas. Mais j'aime bien ça.

Le dragon se déroula et renifla le gâteau d'ambroisie avant de le lécher de sa langue fourchue.

— Je savais que ce serait de la menthe, soupira-t-il. Enfin, c'est mieux que rien. Au moins, mon haleine sera meilleure. Tu as ta boîte ?

— Non, elle est en panne. Héphaïstos est en train de la réparer. Est-ce que tu crois qu'en attendant, tu pourrais essayer de... tu vois... de...

Il désigna l'arrière-train du dragon en espérant qu'il comprendrait.

— Je vais essayer, répondit le dragon en avalant une bouchée de gâteau, mais c'est très dur de se retenir.

— Et... si tu pouvais aussi éviter de faire des étincelles, ajouta Démon. Je ne voudrais pas que les étables explosent.

— D'accord, d'accord, grommela le dragon, pas de pets, pas d'étincelles.

Il se remit à manger en bavant dans son assiette. Il était presque aussi sale que Doris. Démon ramassa les pierres de feu et les apporta à Héphaïstos. Puis, il revint coucher ses autres locataires. Épuisé de sa journée, il grimpa dans son propre lit et se glissa sous sa couverture en toile d'araignée en croisant les doigts. Il renifla un peu. Pour le moment, aucune odeur ne s'était échappée de la caverne du dragon.

Peut-être que tout se passerait bien, finalement.

CHAPITRE 8

DÉESSES EN COLÈRE

Démon fut réveillé par le bruit des bêtes qui toussaient et s'étouffaient.

— Dragon puant ! Dragon puant ! criaient-elles toutes dans leurs langues différentes.

Démon sentit alors l'immonde odeur.

— Oh non ! s'écria-t-il en sautant du lit.

Il enfila sa tunique et appliqua le masque d'Héphaïstos sur son nez avant de descendre en courant. De sous la porte du box spécial du dragon s'échappait un nuage verdâtre. Quand il l'ouvrit, un des chevaux ailés s'évanouit.

— Que s'est-il passé ? demanda-t-il au dragon.

Mais l'odeur était si insupportable qu'il dut faire demi-tour et refermer les portes à la hâte. Il devait évacuer ses bêtes très rapidement. Mais où allait-il les installer ?

Réfléchis, Démon, réfléchis, s'intima-t-il. Puis, il se rappela le champ clos où il mettait parfois les chevaux ailés à paître derrière les étables.

— Venez ! cria-t-il en libérant tous ses locataires le plus vite possible. Suivez-moi ! Et s'il vous plaît, essayez de ne pas vous entredévorer.

Par bonheur, le scorpion géant ne semblait pas du tout affecté par la puanteur et Démon put le laisser sur place. Il conduisit les autres créatures dans le champ et courut chercher le cheval ailé tombé dans les pommes. Il réussit tant bien que mal à le hisser dans une brouette et le roula hors des étables.

Dans le champ, régnait un véritable chaos.

Le lion de Némée s'approchait des vaches du soleil avec un grognement féroce, les dragons de Médée se battaient avec l'aigle du Caucase et les licornes donnaient des coups de sabot aux chevaux ailés. Démon sortit la flûte de son père, arracha son masque et joua un morceau. Immédiatement, les bêtes se calmèrent et s'endormirent. Toutes, sauf Khalko et Kafto qui, à moitié robots, étaient absolument insensibles à la musique de Démon.

— Je peux vous faire confiance ? leur demanda le garçon. Pas d'étincelles ?

L'odeur était moins forte dans les écuries, mais malgré tout bien présente.

— On sera sages, promirent

les taureaux. Cette herbe verte et grasse est un véritable enchantement après tout ce gâteau d'ambroisie.

Alors que Démon retournait vers les étables pour essayer une nouvelle fois d'approcher le dragon, un tourbillon multicolore jaillit sur le chemin. Avant que Démon ait compris ce qui lui arrivait, le tourbillon l'avait soulevé et entraîné avec lui.

— Repose-moi ! hurla-t-il en se débattant.

Mais le tourbillon ne fit que resserrer son étreinte. Quelques secondes plus tard, il le lâcha sur une surface dure et lisse. Démon se redressa, étourdi et furieux. C'est alors qu'il vit les trois déesses qui le fusillaient du regard. Sa colère s'évanouit en un clin d'œil. Voilà, ce qu'il avait craint se produisait ! Il allait être transformé en tas de cendres.

— QUELLE EST CETTE ODEUR IMMONDE ?! tempêtèrent en chœur les trois déesses.

On aurait dit le bourdonnement d'un essaim de guêpes furieuses mélangé au hurlement d'une meute de loups affamés et au grondement d'une centaine d'ours enragés. Démon se retrouva violemment plaqué contre une colonne de marbre, incapable de respirer, de bouger ou de penser.

Un long silence suivit. Les déesses attendaient sa réponse. Dans la tête de Démon, une petite voix appelait à l'aide. Il savait que s'il ne trouvait rien à dire, dans quelques secondes, il aurait disparu.

— Par les globes oculaires d'Échidna ! tonna une voix derrière lui, pourquoi terrifiez-vous ce pauvre garçon ? Viens, pauvre petit, bois ça.

Démon sentit une coupe contre ses lèvres et il avala avidement un breuvage délicieux. Quand il rouvrit les yeux, il découvrit le visage souriant d'Hestia, la déesse de la terre. Elle avait une grande louche argentée à la main.

— Que se passe-t-il ? demanda-t-elle, pas le moins du monde impressionnée par le regard glacial des autres déesses.

— Tu as perdu ton odorat, Hestia ? attaqua Éos, déesse de l'aurore. Mes plus beaux draps puent jusqu'aux enfers !

— Le flair de mes chiens est fichu ! renchérit Artémis, déesse de la chasse en tapotant la tête des deux bassets allongés à ses pieds.

— Ma nuisette en soie empeste la fosse d'aisances, intervint Aphrodite, la déesse de l'amour.

— Et ça vient des étables, hurlèrent-elles toutes les trois à la fois en montrant Démon du doigt.

— Je… je… suis… dé… désolé, Vos Glorieuses Déités, bégaya Démon. Je vais essayer de tout remettre en ordre le plus vite possible.

— J'exige de savoir d'où vient cette odeur ! fit Éos d'une voix dangereusement calme.

Démon ferma les yeux. Il ne pouvait pas leur cacher la vérité.

— C'est le… le… dragon de Colchide… il a… des… p… problèmes de digestion, murmura-t-il.

— LE DRAGON DE COLCHIDE ? répéta Artémis, furieuse. Nous l'avons banni de l'Olympe il y a des années ! Pourquoi l'as-tu ramené ?

Elle avait armé son arc d'une flèche d'argent qu'elle pointait sur Démon. Le garçon n'osait plus faire un mouvement. Artémis était connue pour ne jamais rater sa cible.

— Allons, allons, ma chère, essaya de la calmer Hestia. Pose cette arme. Je suis sûre qu'il y a une excellente explication à tout cela.

— Il y a plutôt intérêt, gronda la chasseresse en baissant son arc.

— Arès m'a ordonné de ramener le dragon pour le soigner, souffla Démon, mais j'ai eu… des petits problèmes.

Artémis fronça les sourcils, tandis qu'Aphrodite éclatait d'un rire tintinnabulant. On aurait dit une cascade de miel.

— Des petits problèmes ? Tout l'Olympe sent les égouts, les chaussettes sales et les œufs pourris et toi tu dis que tu as eu des petits problèmes !

Elle renversa la tête en arrière, rit aux éclats et s'éventa avec une plume d'autruche rose. Démon rougit.

— Euh… peut-être que je devrais dire de gros problèmes, Votre Magnifique Magnifiqueté.

— Bon, je suppose que si ce borné d'Arès te l'a ordonné, ce n'est pas vraiment ta faute, soupira Éos. Il ne pense qu'à ses fichues guerres. Mais comment comptes-tu nous débarrasser de cette odeur, Pandémonius ? On ne peut plus sortir, les nymphes sont toutes alitées, les fleurs se fanent, les dryades sont parties sur la terre et les naïades ont plongé sous l'eau.

— Ah ! Je me demandais justement pourquoi les faunes n'étaient pas venus prendre leur petit déjeuner ce matin. Depuis que nous avons

fait exploser notre poudre de piment en pré-
parant un chili hier matin, les cuisiniers et moi
n'avons plus aucun odorat. C'est pour ça que
nous n'avons rien remarqué.

Elle se tourna vers Démon.

— Mais pourquoi n'as-tu pas utilisé ta boîte ? N'est-elle pas censée guérir toutes les maladies ?

— Si, Votre Délicieuseté Culinaire, répondit Démon, mais elle est cassée et Héphaïstos ne peut pas la réparer tant qu'il n'a pas fini le collier que Zeus lui a commandé pour Héra.

Il jeta un regard nerveux autour de lui, espérant que la reine des déesses n'allait pas brusquement surgir de derrière une colonne. Éos, Artémis et Aphrodite étaient peut-être effrayantes, mais l'épouse de Zeus était tout simplement terrifiante.

— Tu as de la chance, Pandémonius, dit Aphrodite en lui adressant un clin d'œil. Cette chère Héra n'est pas sur l'Olympe en ce moment. Elle a eu, disons, une petite dispute avec Zeus, et il l'a invitée à passer quelques jours en amoureux pour qu'ils se réconcilient. L'histoire avec Io, vous savez, souffla-t-elle aux autres déesses.

— Oui, tu as de la chance, acquiesça Artémis en bandant de nouveau son arc, mais si tu ne trouves pas rapidement une solution pour nous débarrasser de cette odeur, je t'assure que je peux être largement aussi féroce qu'Héra et je n'hésiterai pas à envoyer mes chiens te mettre en pièces. Pour le moment, je redescends sur terre pour me battre contre quelques loups, au moins, dans la forêt, l'atmosphère est respirable.

Elle siffla ses bassets et sortit comme une tornade de la pièce.

— J'y vais aussi, fit Éos. Je dois aller nourrir mon pauvre Tithon. Il aime avoir quelques grains de maïs pour son petit déjeuner et il ne les mange que dans la paume de ma main.

Elle agita l'index sous le nez de Démon.

— Soigne cet animal, garçon d'étables, ou je te pendrai par les oreilles à la ligne d'horizon pendant un an.

Aphrodite attendit que la déesse de l'aurore soit partie et elle éclata de rire une nouvelle fois.

— Pauvre Éos. Tu t'imagines avoir une cigale pour époux ! Ça lui apprendra à demander un service à Zeus un jour où il est de mauvaise humeur.

Elle s'approcha de Démon et lui prit la main. Elle sentait la rose, le lilas avec une pointe de fleur d'oranger. Démon sentit sa tête tourner un peu et ses genoux se dérober. C'était toujours risqué de se retrouver si près de la déesse de l'amour.

— Viens avec moi, Pandémonius, ronronna-t-elle, allons voir si mon époux peut se dépêcher un peu pour réparer ta boîte. Empruntons mon passage secret, de cette façon, nous ne serons pas obligés de passer par l'extérieur.

Elle lui adressa un sourire coquin et un clin d'œil.

— En chemin, tu pourras me parler de la petite Eunice, cette charmante néréide.

Démon rougit. Comment Aphrodite était-elle au courant pour Eunice ?

— Arrête de fourrer ton nez partout, Aphy, la tança Hestia, tu sais que les garçons n'aiment pas parler de leurs histoires d'amour.

Elle ébouriffa les cheveux de Démon.

— Reviens vite me rendre visite aux cuisines, Pandémonius, je te préparerai une fournée de ces gâteaux au miel que tu aimes tant. Zeus et Dionysos ne peuvent plus s'en passer.

CHAPITRE 9

LE CENTAURE MÉDECIN

Tout en entraînant Démon dans un souterrain rocailleux, Aphrodite ne cessa de parler. Elle lui raconta les derniers ragots et, surtout, lui posa tout un tas de questions indiscrètes sur Eunice et les autres néréides. Quand ils arrivèrent dans les appartements d'Héphaïstos, Démon était plus rouge qu'une cerise trop mûre.

— Hephy, mon chéri ! appela la déesse dans un tube en spirale accroché près de la porte. Où es-tu ? Ta petite Aphy veut te parler !

Quelques secondes plus tard, des pas résonnèrent, et le dieu de la forge apparut en se frottant le visage pour le débarrasser du plus gros de la suie. En voyant Démon, il se pétrifia, sourcils froncés.

— Qu'est-ce que tu fais là, Pandémonius ? Comment es-tu entré dans mes appartements privés ?

Aphrodite s'approcha de lui et posa sa main blanche sur son bras noir.

— Ne te fâche pas, mon chéri, dit-elle, ça te fait plein de rides autour des yeux. C'est moi qui ai amené Pandémonius. Tu sais combien je déteste les mauvaises odeurs, et cet horrible dragon a déjà gâché ma journée. Pandémonius a vraiment besoin de sa boîte. Tu es si habile avec tes mains ! Je sais que tu sauras la réparer en un clin d'œil. Ensuite, l'air de l'Olympe sentira de nouveau bon !

Elle se jeta dans les bras de son époux et couvrit sa barbe de baisers. Le visage de Démon était maintenant couleur aubergine. Héphaïstos n'était d'ailleurs pas beaucoup plus à l'aise alors qu'Aphrodite se glissait entre ses bras et le regardait à travers ses longs cils.

— Tu sais que je ferais n'importe quoi pour toi, chérie, grommela-t-il, mais la boîte est plus abîmée que je ne le pensais. Les insectes ont dévoré tout le système dont une pièce magique qui m'avait pris une semaine à fabriquer. Je me dépêche autant que possible, mais je ne peux rien promettre. Pandémonius va devoir trouver un autre moyen de soigner son dragon.

Il se tourna vers le garçon.

— Tu as essayé les feuilles de menthe ?

Démon acquiesça.

— Ça ne marche pas.

Aphrodite tapa du pied et éclata en sanglots. C'était incroyable, mais elle réussissait à être encore plus jolie quand elle pleurait.

— C'est insupportable, déclara-t-elle en se dégageant de l'étreinte d'Héphaïstos. Je ne peux l'accepter.

Elle tapa du pied une nouvelle fois et une volée de colombes en colère jaillirent du sol et tournèrent autour de la tête de Démon et Héphaïstos.

— SOIGNE CE DRAGON ! hurla Aphrodite. Sinon je te transforme en arbre à myrrhe et je te coupe pour te transformer en flèches pour Éros !

— Démon, souffla le dieu de la forge en essayant d'éviter les coups d'ailes et de becs des colombes, elle est capable de le faire ! Tu as vraiment intérêt à trouver une solution.

— Mais je ne sais pas quoi faire ! se lamenta le garçon. Et il dégage une odeur tellement abominable que je ne peux pas m'approcher de lui. Même avec le masque.

Héphaïstos se gratta la tête.

— Je crois qu'il est temps d'appeler la cavalerie. Nous avons besoin de Chiron, le centaure. Je vais t'envoyer le chercher au mont Pélion. C'est notre seul espoir. Chiron est le demi-frère de

Zeus, mais même s'il est également un dieu, ils ne s'entendent pas toujours très bien. Il faudra te montrer très persuasif pour le convaincre de t'accompagner. Et je ne sais même pas s'il pourra résoudre notre problème. Mais nous n'avons pas le choix, nous devons essayer. Allons, vite. Je n'ai pas beaucoup de temps. Je dois encore travailler sur le collier d'Héra.

Il poussa la porte et entra dans la forge, Démon sur les talons.

— Baissez les feux, ordonna-t-il à ses automates, mais veillez à ce qu'ils ne s'éteignent pas. Et surtout faites tourner les ventilateurs. Ce serait une catastrophe que les gaz produits par le dragon s'accumulent ici.

Il prit deux masques sur une de ses étagères et en jeta un à Démon.

— Mets ça, c'est un prototype plus efficace que celui que je t'ai donné hier.

Il prit une grande inspiration et appliqua le masque sur son visage avant de quitter la forge à toute allure. Démon lui emboîta le pas.

— Iris ! rugit-il. Livraison urgente pour le mont Pélion !

L'arc-en-ciel apparut aussitôt.

— Emmène Pandémonius à la caverne de Chiron aussi vite que possible, demanda-t-il.

Puis, il fit volte-face et retourna en courant vers sa forge.

— Bonne chance ! cria-t-il par-dessus son épaule.

L'Iris Express déposa Démon au sommet d'une montagne. Des oliviers aux feuilles argentées poussaient sur ses flancs arides et, au loin, le garçon aperçut le miroitement de la mer. Alors que l'arc-en-ciel disparaissait, une immense créature sortit d'une caverne en trottant. Elle avait le corps d'un cheval alezan, mais son torse et son visage étaient ceux d'un homme. Il sentait les herbes sauvages et la terre, et regardait Démon de ses yeux d'un bleu profond. Le garçon se mit à genoux.

— Votre Immense Médecinité, commença-t-il. Je vous en supplie, vous devez m'aider.

— Holà, du calme, fit Chiron en levant une main tachée de vert. Qui es-tu, jeune homme ? Et comment se fait-il que l'Iris Express t'ait amené ici ? Tu n'es quand même pas un nouveau dieu ?

— C'est Héphaïstos qui m'envoie, s'empressa d'expliquer Démon. Je suis Pandémonius, fils de Pan, mais presque tout le monde m'appelle

Démon. Je m'occupe d'un dragon dont les problèmes de digestion menacent de faire exploser l'Olympe. Les déesses m'ont promis de me pourchasser, de me pendre par les pieds, de me transformer en arbre et de me débiter si je ne le soigne pas, et Arès veut me couper les jambes et…

Il s'interrompit, à bout de souffle. Chiron l'observa un moment, les sourcils en arcs de cercle.

— Eh bien, on dirait que tu as quelques problèmes. Viens dans ma grotte me raconter tout ça en détail.

L'intérieur de la caverne de Démon était la plus belle infirmerie que Démon ait jamais vue. La lumière du soleil y pénétrait par des ouvertures pratiquées dans la montagne et éclairait des mètres et des mètres d'étagères couvertes de bouteilles et de fioles bien rangées. Certaines contenaient des herbes en poudre, d'autres des racines, des pilules ou des potions. Au plafond, étaient accrochées des petits sacs de mousseline remplies de feuilles, de fleurs et de baies en train de sécher. La table d'opération et les instruments chirurgicaux étaient d'une propreté étincelante. Le lève-malade semblait comme neuf. Sur un établi s'alignaient des mortiers, des pilons, des couteaux affûtés et derrière un rideau, on apercevait une autre pièce avec des lits aux couvertures bleues. Il y avait aussi des piles et des piles de livres, certains, ouverts, montraient des dessins anatomiques de bêtes ou d'humains ainsi que des planches de plantes curatives. Démon cligna des yeux, émerveillé. À côté, sa minuscule infirmerie était absolument ridicule.

— Tiens, bois ça, lui proposa Chiron en lui tendant un verre rempli d'une boisson violette qui ressemblait à du jus de raisin. Ça te donnera de l'énergie et de la force. Je vois que tu portes un lourd fardeau sur tes épaules.

Entre deux gorgées, Démon raconta une nouvelle fois son histoire. La boisson était délicieusement fraîche et lui picotait agréablement la langue. Un sentiment de bien-être se répandait dans tout son corps. Quand il eut terminé, Chiron hocha la tête.

— Je vois. Tu voudrais que je t'accompagne sur l'Olympe et que je soigne cet animal, c'est bien ça, Démon ?

Le garçon acquiesça, les doigts croisés derrière son dos.

— Et qui s'occupera de mes élèves pendant ce temps-là ? De mes patients ? Ils ont besoin de moi, eux aussi. Je ne peux pas les abandonner. Et puis, je déteste l'Olympe, avec tous ces dieux et ces déesses qui déambulent, parlent, crient. En particulier mon frère et son fichu tonnerre. J'aime la paix et le calme que je trouve ici.

— S'il vous plaît, supplia Démon. Je suis sûr que ça ne vous prendra pas longtemps. Et Zeus n'est pas là, en ce moment, vous ne risquez pas de le croiser. Vous pouvez sûrement confier vos élèves à quelqu'un…

Il tendit le cou vers la pièce avec les lits avant d'ajouter :

— … et il semble que vous n'ayez pas de patients en ce moment.

Chiron tapota son établi du bout de ses doigts verts.

— Eh bien, il n'y a effectivement aucune urgence pour le moment. J'ai renvoyé mon dernier patient en convalescence chez lui ce matin même. Cet idiot de Mélanion s'était fait attaquer par un ours. Asclépios pourrait sans doute donner quelques cours à ma place aux apprentis. Je n'en ai que deux en ce moment : Cocyte et Actéon.

Il soupira et jeta un regard sévère à Démon.

— Mais je te préviens, je resterai le moins de temps possible sur l'Olympe. Je pense savoir comment soigner ton dragon. Au cas où, je vais quand même prendre plusieurs potions. Attends-moi ici pendant que je me prépare.

Il sortit de la grotte en appelant Asclépios.

Démon s'occupa en feuilletant les livres. Il ne comprenait pas les gribouillis sous les dessins, mais les représentations étaient incroyables. Du bout du doigt, il traçait les boucles et les méandres qui formaient l'intérieur de l'oreille d'un serpent, puis la manière dont les petits pois logeaient parfaitement dans leur cosse. Il y avait tant de choses qu'il ignorait…

Quand Chiron revint, il tendit un sac à Démon.

— Regarde et apprends, mon garçon, lui dit-il en choisissant quelques fioles d'huiles et de poudres sur son étagère.

Il se mit sur la pointe des sabots pour attraper des baies bleues et ajouta des masques de protection et des pince-nez.

— Si tu veux faire ton travail correctement, continua-t-il, tu ne peux pas toujours te reposer sur ta boîte magique. Tu dois apprendre à soigner tes bêtes par toi-même. J'ai vu que tu t'intéressais à mes livres, et j'ai bien envie de demander à Zeus de te permettre de venir prendre un cours avec moi une fois par semaine. Qu'en dirais-tu ?

— Oh ! J'adorerais ça ! s'exclama Démon en souriant jusqu'aux oreilles.

Il s'en rendait soudain compte : un professeur de médecine était exactement ce dont il avait besoin.

CHAPITRE 10

L'APPRENTI SOIGNEUR

Protégés par leurs masques et leurs pince-nez, Démon et Chiron grimpèrent à bord de l'Iris Express. Quand ils arrivèrent, l'Olympe, envahi d'une épaisse nappe de fumée verte, semblait complètement désert. Manifestement, tout le monde s'était enfermé dans les palais et avait fermé portes et fenêtres. Les fleurs piquaient du nez et les arbres perdaient leurs feuilles.

Le garçon et le centaure, malgré leurs précautions, n'échappaient pas complètement à la puanteur.

— Iris, appela Chiron d'une voix étouffée. Va chercher Borée et dis-lui de venir très vite avec ses vents les plus puissants. Nous en aurons besoin pour disperser les gaz.

Démon n'avait jamais vu l'Iris Express s'en aller aussi vite. L'arc-en-ciel ne semblait pas vouloir traîner trop longtemps dans les parages de l'Olympe et personne ne pouvait lui en vouloir.

— Monte sur mon dos et mène-moi à ton dragon, demanda Chiron à Démon, nous irons plus vite.

Le centaure s'agenouilla pour que Démon puisse l'enfourcher. C'était étrange et un peu irrévérencieux de chevaucher un dieu. Chiron partit au galop, et le garçon s'accrocha à sa taille. Il avait à peine eu le temps de se dire que c'était très différent de ses balades sur le dos des chevaux ailés qu'ils avaient déjà dépassé l'enclos du scorpion géant. Chiron entrouvrit prudemment les portes de la caverne du dragon. Ils avancèrent dans une brume verdâtre, mais durent bientôt reculer et ressortir des étables.

— Nous devons attendre Borée, décida le centaure. Il ne devrait plus tarder.

Démon resta silencieux. Bien trop occupé à ne pas s'évanouir, il était incapable de parler. D'autre part, il s'inquiétait pour le dragon. Pas étonnant que la pauvre bête soit plus déprimée que jamais, avec tous ces gens qui essayaient d'entrer et finissaient toujours par fuir.

Soudain, Démon frissonna. L'air était devenu glacial. Une averse de grêle s'abattit sur ses épaules.

— Le voilà ! s'exclama Chiron en désignant le ciel.

Démon leva la tête. Sur le dos d'un cheval fait de nuages blancs, un dieu aux ailes violettes, aux cheveux neigeux et à la barbe couverte de givre leur faisait signe.

— Eh, Chiron ? Qu'est-ce que je peux faire pour toi ? Iris m'a dit que c'était urgent.

Il sauta de sa monture et s'éventa.

— Pfiou ! Quelle puanteur ! Pas étonnant que vous portiez ces masques.

— Oui, c'est terrible, hein ? acquiesça Chiron. Le jeune Démon doit soigner les problèmes de digestion d'un dragon. Nous aurions besoin que tu libères un vent fort pour que nous puissions entrer et commencer le traitement.

— Aussitôt dit, aussitôt fait ! sourit le dieu ailé. Accrochez-vous à vos chapeaux !

Il détacha de sa ceinture un sac de cuir aussi rond qu'un ballon et en desserra deux cordons, un rouge, un noir. Deux rafales de vents en sortirent. Ils avaient les joues rondes et gonflées.

— Nous sommes à tes ordres, maître des Tempêtes !

— Soufflez mes beaux, soufflez ! cria Borée. Débarrassez-nous de cette immonde odeur.

Les vents obéirent, se déchaînant sur l'Olympe, entrant dans chaque fente, dans chaque cavité où le gaz se nichait, soulevant brins de paille, feuilles mortes, poussière, herbe, poils, plumes, pétales et même une des nuisettes qu'Aphrodite avait oubliée sur le fil à linge. La fumée s'éleva dans les cieux, au-dessus de la montagne d'Héphaïstos. Soudain, une étincelle s'échappa de la cheminée rocailleuse et, dans une détonation assourdissante, il y eut un véritable feu d'artifice vert et mauve.

Puis, plus rien.

— Merci, Borée ! cria Chiron alors que le dieu des vents du nord s'éloignait au galop. Et maintenant, vite, Démon, nous devons nous occuper du dragon avant qu'il recommence.

Démon courut vers la porte du box du dragon et l'ouvrit en grand. La pauvre bête était étendue sur le sol, les yeux révulsés et il marmonnait sans fin : « retienstoiretienstoiretienstoi ». Chiron entra dans un claquement de sabots.

— Donne-lui trois cuillerées de chacune de ces potions, dit-il à Démon en lui tendant une fiole orange, une autre jaune et une dernière d'un vert pétant.

Démon ouvrit prudemment la gueule du dragon.

— Un, deux, trois…

Il compta trois fois, jusqu'à ce que la neuvième cuillerée soit descendue dans le gosier du pauvre animal.

Chiron et Démon attendirent anxieusement, mais rien ne se produisit. Le centaure tendit alors au garçon une pâte bleue qu'il malaxait depuis un moment.

— Bon, donne-lui ça. Si ça ne fonctionne toujours pas, on ne pourra rien faire. Je vais lui tenir la mâchoire, et tu vas l'enfoncer le plus profondément possible dans sa gorge.

Chiron s'agenouilla sur ses pattes avant et écarta la gueule de la créature. Démon introduisit son bras jusqu'à l'épaule jusqu'à ce qu'il sente une chaleur lui brûler les doigts.

— Aïe ! cria-t-il en secouant la main.

Le dragon se mit à tousser, crachant des flammes bleues et des étincelles mauves.

— Là, là, fit Chiron en regardant l'animal qui semblait sur le point de vomir.

Puis, il plongea la main dans son sac et en ressortit un pot de crème.

— Plonge tes doigts là-dedans, demanda-t-il à Démon.

Une fraîcheur bienvenue soulagea les brûlures du garçon. Le dragon émit alors un énorme rot à l'odeur de gingembre. Chiron caressa ses cornes.

— Voilà, mon grand, voilà. Il faut que ça sorte.

Trois monstrueux rots plus tard, Chiron poussa un soupir de soulagement.

— C'est ce que je voulais entendre. Ça va aller maintenant.

Il se tourna vers Démon.

— Je vais te montrer comment préparer la potion, et tu devras lui donner une dose quatre fois par jour pendant un mois. Il doit rester sur l'Olympe jusqu'à la fin du traitement. Tu dois le garder au chaud et t'assurer que son esprit est occupé et qu'il ne recommence pas à déprimer. Je vois à ses écailles que son régime n'est pas adapté. Il ne devrait pas être rouge. Sa véritable couleur est le violet. Il doit manger du charbon et tu dois saupoudrer son gâteau d'ambroisie de gingembre et de graines de cumin.

Le dragon avait déjà l'air beaucoup plus en forme. Il s'ébroua et déclara d'une voix forte :

— Par la lance d'Arès ! Je n'avais pas eu aussi faim depuis ma plus tendre enfance. Quelqu'un a parlé de charbon ? Je veux un grand bol de charbon à croquer.

— Tu n'auras qu'à venir avec moi à la forge d'Héphaïstos dès que j'aurai remis les autres animaux dans leurs enclos, lui proposa Démon. Je suis tellement content que tu ailles mieux !

Chiron resta avec le dragon pendant que Démon allait s'occuper de ses autres pensionnaires toujours endormis. Khalko et Kafto, eux, broutaient tranquillement. Démon

sortit sa flûte et commença à jouer doucement. Ils se réveillèrent un par un et rentrèrent tranquillement aux étables. Quand Démon arriva au griffon, il était épuisé. Le soleil était haut dans le ciel et il n'avait encore rien mangé de la journée.

— Salut, fils maigrichon de Pan, le salua le griffon. Tu as réussi à guérir l'autre puant ? Où est mon steak ?

Démon éclata de rire.

Tout était revenu à la normale.

Alors que le dragon montait le chemin escarpé qui menait à la forge d'Héphaïstos, Démon eut soudain une idée brillante.

— Héphy ? appela-t-il. Je vous ai amené de la visite.

Le dieu apparut dans l'encadrement de sa grotte, tout échevelé.

— Je suis un peu occupé pour recevoir de la visite, fit-il. Le vent de Borée nous a débarrassés de l'odeur, mais il a aussi tout mis sens dessus dessous et éteint le feu. Avec les robots, on doit tout remettre en état, et je ne sais même pas comment on va faire repartir cette fichue forge pour terminer le collier d'Héra.

Démon lui sourit. Ça allait être encore plus facile qu'il ne l'avait imaginé.

— Je vous présente le dragon de Colchide, lança-t-il. La réponse à tous vos problèmes.

— C'est donc la créature responsable de cette épouvantable odeur ? Elle est enfin guérie ?

— C'est moi, acquiesça le dragon, et je suis affamé !

Il fit claquer sa mâchoire. Héphaïstos se hâta de reculer d'un pas.

— Eh ! Je ne suis pas un restaurant pour dragon ! Et que veux-tu dire par la solution à tous mes problèmes ?

— Le dragon de Colchide a besoin d'un travail pour s'occuper l'esprit jusqu'à ce qu'Arès vienne le récupérer. Il aime manger du charbon, il pourra donc vous en débarrasser au fur et à mesure et en plus, il peut facilement rallumer et maintenir votre feu. D'après Chiron, dès qu'il sera totalement guéri, ses flammes seront plus chaudes que celles des autres dragons. En attendant, il pourra rester au chaud, et vous aurez un véritable dragon quand vous voudrez vous mettre en mode dragon !

Héphaïstos se gratta la tête.

— Tu as pensé à tout, visiblement. Qu'en dis-tu, dragon ?

Mais la bête ne répondit pas. Il était entré dans la forge et se gavait de charbon.

— Je crois qu'il se plaît, sourit Démon. Je vais aller chercher son médicament. Vous verrez, c'est un gentil dragon maintenant qu'il ne sent plus mauvais.

Héphaïstos hocha la tête.

— Tu es un sacré garnement, Démon, mais tu as très bon cœur.

Démon retrouva Chiron aux étables. Le centaure avait examiné chaque créature pour s'assurer qu'aucune n'avait été affectée par les émanations du dragon de Colchide. Tous allaient bien, mais ils étaient affamés. Démon remplit leurs mangeoires de gâteau d'ambroisie. Puis, il emmena Chiron à l'infirmerie.

— Pas mal, estima le centaure en regardant autour de lui. C'est propre et bien tenu.

Démon rougit.

— Mais si je veux me débrouiller sans la boîte, j'ai encore énormément à apprendre, dit-il.

Chiron sortit quelques potions de son sac vert.

— Alors, commençons tout de suite, mon jeune apprenti, lança-t-il. Pourquoi attendre ?

Apprenti ! Démon aimait beaucoup ce nouveau titre !

GLOSSAIRE

DIEUX ET DÉESSES

Aphrodite : Déesse de l'amour et de la beauté. Elle aime le rose et les peluches.

Arès : Dieu de la guerre. Pour lui, tous les prétextes sont bons pour déclencher une guerre.

Artémis : Déesse de la chasse. Elle n'arrive pas à se décider si elle veut protéger les animaux ou les tuer.

Borée : Dieu de l'hiver et des vents du nord.

Dionysos : Dieu du vin. Avec lui, même les dieux les plus sensés deviennent foufous.

Éos : Déesse de l'aube. D'une simple caresse, elle rend rose tout ce qu'elle touche.

Éris : Sœur d'Arès, déesse du chaos. Elle aime plus que tout créer trouble et chaos.

Éros : Dieu de l'amour, ailé et fripon.

Hadès : C'est le plus jeune frère de Zeus. Il règne sur le monde des morts.

Héphaïstos : Dieu de la forge, du métal, du feu, du volcan et de tout un tas d'autres trucs cool.

Héra : C'est la femme de Zeus. Elle est plutôt effrayante. Elle conduit un char tiré par des paons criards.

Hermès : Messager des dieux. Il est très malin, vraiment gentil et il adore s'amuser.

Hestia : Déesse du foyer. C'est une excellente cuisinière.

Pan : Dieu des bergers et des troupeaux. Il aime se promener dans les bois et les landes en jouant de la flûte.

Poséidon : Dieu de la mer. Il contrôle les éléments surnaturels.

Zeus : Roi des dieux. Il adore envoyer la foudre sur les gens.

AUTRES CRÉATURES MYTHIQUES

Autolykos : Voleur qui a modifié l'apparence de l'or qu'il avait dérobé pour ne pas se faire prendre.

Chiron : C'est le plus âgé de tous les centaures. Il est connu pour sa sagesse et ses compétences médicales.

Dryades : Trois nymphes qui ont le pouvoir de ressusciter les arbres par leur chant.

Héraclès : Héros demi-dieu, dont l'occupation principale est de tuer les créatures de l'Olympe.

Jason : Encore un héros qui n'hésite pas à s'en prendre aux créatures de l'Olympe si elles se trouvent en travers de sa précieuse quête.

Médée : Princesse-sorcière de Colchide qui a aidé Jason (on se demande bien pourquoi !)

Naïades : Nymphes d'eau douce qui aident à garder l'Olympe propre et adore les ragots.

Néréides : Cinquante sœurs, filles de Nérée, qui vivent dans les fonds marins et adorent les ragots.

Nymphes : Esprits de la nature. Elles sont toujours très joyeuses.

LIEUX

Colchide : Ancien royaume sur la mer Noire où Jason a fait accoster ses navires.

Mont Pélion : Montagne sur la mer Égée où vit Chiron.

Tartare : Un donjon des tortures des centaines de kilomètres sous le monde de la mort.

CRÉATURES

Centaure : Mi-homme, mi-cheval. Il a la meilleure moitié de chaque.

Dragon Colchide : Dragon gardien d'Arès. Ses dents sont magiques et il est censé ne jamais dormir.

Taureau Crétois : Un taureau qui crache du feu par les naseaux. Ne jamais l'approcher de trop près.

Griffon : Incapable de se décider s'il voulait être un lion ou un aigle, il a opté pour les deux.

Hydre : Serpent d'eau à neuf têtes. Héra la trouve trop mignonne.

Khalko et Kafto : Moitié taureaux, moitié robots. Ils ont été créés par Héphaïstos et crachent du feu.

Lion de Némée : Lion géant et indestructible. Les lances et les épées rebondissent sur son pelage.

Le Livre de Poche s'engage pour l'environnement en réduisant l'empreinte carbone de ses livres. Celle de cet exemplaire est de :
200 g éq. CO$_2$
Rendez-vous sur www.livredepoche-durable.fr

PAPIER À BASE DE FIBRES CERTIFIÉES

Édité par Librairie Générale Française – LPJ
(58, rue Jean-Bleuzen, 92170 Vanves)

Composition PCA
Achevé d'imprimer en Espagne par CPI
Dépôt légal 1re publication : mai 2017
50.0449.2/01 – ISBN : 978-2-01-911013-0
Loi n° 49-956 du 16 juillet 1949 sur les publications destinées à la jeunesse
Dépôt légal : mai 2017